Aranmanoth

Novela

Biografía

Ana María Matute (Barcelona, 1925-2014) ha cosechado los premios literarios más prestigiosos por su obra, entre la que figuran las novelas *Los Abel* (finalista del Premio Nadal 1947), *Fiesta al Noroeste* (Premio Café Gijón 1952), *Pequeño teatro* (Premio Planeta 1954), *Los hijos muertos* (Premio de la Crítica 1958 y Premio Nacional de Literatura 1959), *Primera memoria* (Premio Nadal 1959), *Los soldados lloran de noche* (Premio Fastenrath de la Real Academia Española 1962), *La torre vigía* (1971), *Olvidado Rey Gudú* (1996), *Aranmanoth* (2000) y *Paraíso inhabitado* (2008). También es autora de varios libros de cuentos infantiles y de varios libros de relatos, reunidos en el volumen *La puerta de la luna* (2010). Miembro de la Real Academia Española y de la Hispanic Society of America, en 2007 fue galardonada con el Premio Nacional de las Letras y, en 2010, con el Premio Cervantes.

Ana María Matute
Aranmanoth

DESTINO

Esta edición dispone de recursos pedagógicos en www.planetalector.com

© Ana María Matute, 2000
© Herederos de Ana María Matute, 2014
© Editorial Planeta, S. A., 2005, 2020
  Ediciones Destino, un sello editorial de Editorial Planeta, S. A.
  Avda. Diagonal, 662-664, 08034 Barcelona (España)
  www.edestino.es
  www.planetadelibros.com

Diseño de la cubierta: Booket / Área Editorial Grupo Planeta
Imagen de la cubierta: © Bridgeman Art Library / Getty Images
Primera edición en esta presentación en Colección Booket: marzo de 2020

Depósito legal: B. 1.472-2020
ISBN: 978-84-233-5704-8
Impresión y encuadernación: Liberdúplex, S. L.
Printed in Spain - Impreso en España

Capítulo I

Durante los primeros años de su vida, cuando aún no le habían apartado de su madre, Orso creyó oír voces. Eran voces misteriosas y no humanas, voces que se adentraban en el silencio, que revoloteaban a su alrededor y se introducían en su mente encendiendo su curiosidad. De ellas hablaban las sirvientas en las noches junto al fuego, cuando el crepitar de los leños, el rumor de las ruecas y sus conversaciones permitían a Orso desvelar algunos de sus más escondidos secretos. Él respetaba esos secretos, los buscaba y los deseaba. Pero nunca llegó a desentrañarlos del todo ni a hacerlos suyos. Eran secretos de mujeres, y él no era más que un niño que sentía cómo la sed de conocimiento crecía en su interior.

Ellas hablaban, al parecer, de un tiempo que se perdía en la memoria de los humanos. Orso, aunque fingía dormir, agazapado, de tanto en tanto aparecía inesperadamente entre ellas, que le acogían alborozadas. Y una noche oyó decir a su madre: «Son las voces que pierde el Tiempo en su tejer y destejer al derecho y al revés...».

Años después, cuando, muy lejos de su casa, se aprestaba a ser nombrado caballero, Orso creyó olvidar esas voces. Pero, tras el anuncio de la muerte de su madre, regresaron a su memoria, y de nuevo se avivaron en él la necesidad de saber y el suave y misterioso temblor de aquellos días en que aún era un niño.

No tuvo mucho tiempo para meditar sobre estos asuntos. Porque en el mundo de los hombres, donde Orso habitaba, vivía y se entrenaba para ser como ellos, y raramente tenían cabida cavilaciones acerca de sentimientos, voces y secretos.

Orso era el único hijo del Señor de Lines. Su padre esperaba de él tantas y tan buenas cosas que, salvo en contadas ocasiones, Orso se sentía aprisionado en una mano de hierro que oprimía cada día un poco más su corazón. Aquel mundo de hombres estaba lleno de obligaciones, férreas voluntades y destinos incuestionables y, poco a poco, sin apenas darse cuenta, Orso se iba distanciando de ese otro espacio que, de niño, le cubría como un manto y le protegía. Y llegó el momento de su instrucción y tuvo que partir hacia el castillo del Conde a quien su padre rendía vasallaje. A partir de aquel momento, las voces, o su sueño, o su mentira, retornaron al silencio. Y las olvidó.

Recién cumplidos dieciséis años, cuando acabó su estancia en el castillo y, al fin, fue nombrado caballero,

Orso se había convertido en un muchacho hermoso, fuerte, ducho en la espada, bastante hábil con la lanza y extraordinario jinete. Orso era ya un hombre en el mundo de los hombres, al menos eso parecía. Fue entonces cuando llegó al castillo la noticia de la grave enfermedad y agonía del Señor de Lines, su padre, y hubo de regresar a sus dominios como futuro señor.

En algún momento se detuvo a valorar su situación. No se decidía a abandonar el castillo del Conde. Excepto el breve tiempo en que vivió junto a su madre y aquellas misteriosas mujeres, tan alejadas ya de su memoria, nadie le había demostrado afecto, ni siquiera benevolencia. De su padre guardaba un recuerdo que se repartía entre la dureza, la frialdad y las exigencias desmesuradas. El resto de los habitantes de su casa mostraban hacia él indiferencia o respetuoso temor. En cambio, en el castillo del Conde había disfrutado de un trato afectuoso por parte de su señor, y por primera vez comprendió lo que podía significar la camaradería, la amistad, y aun el amor de otros jóvenes que, como él, hacían allí su aprendizaje de futuros caballeros. Cierto es que hubo alguno que no le quiso, o incluso se enemistó con él, o le envidió. Pero Orso aprendió antes el manejo de las armas que aceptar semejantes sentimientos como parte de la vida cotidiana de todos los hombres. Y aún Orso dudaba sobre su destino: se sentía inquieto y temeroso, indeciso, por más que comenzara a saber que todas esas dudas y temores no tendrían ningún valor, ninguna utilidad en su vida.

Pero al fin, tras despedirse de su señor y de aquellos que habían sido sus amigos, camaradas y rivales, montó en su caballo Gero, regalo del propio Conde, y emprendió, en solitario, el regreso a sus dominios.

Era un día muy caluroso del mes que agosta la hierba y los trigales alcanzan su punto más maduro. El cielo, sin apenas nubes, estallaba en una luz casi dolorosa y se apoderaba de todo cuanto alcanzaba su mirada. Parecía que el sol jamás llegaría a hundirse en el horizonte.

Aquellas eran tierras de inviernos largos y crudos. El frío se hacía casi insoportable y, sin embargo, el verano se convertía en una inmensa ascua. Al cabo de un largo trecho de camino, cuando el sol se presentaba como soberano absoluto y abrasaba cuanto alcanzaba, a Orso le flaquearon las fuerzas. Pero había algo en su entorno que le devolvió a un tiempo añorado. Por fin, como un sueño lejano y casi olvidado, reaparecieron los bosques de su tierra: umbríos y resplandecientes. Y al espolear su montura para entrar en ellos y perderse en su espesura, una luz intensa se adueñó de él. Vaciló su caballo y a punto estuvo de caer.

Mientras intentaba enderezarse y recuperar su aplomo, el eco de una antigua voz regresó, le rodeó y se apoderó de todo su ser, devolviéndole a un niño que escuchaba el rumor de la ruecas y las palabras femeninas, aquel niño que buscaba secretos y descubría voces que viajaban por el tiempo, que se descolgaban del tiempo y del silencio. De este modo, Orso escuchó una voz que despertó dentro de sí, y la reconoció porque era su propia voz que, a ráfagas de un viento desconocido, repetía: «Yo soy Orso, soy Orso, dueño y Señor de Lines...». Entonces, la voz se retiraba y parecía regresar a un tiempo futuro. Y escuchó el lamento de un niño que decía: «Padre, perdóname, perdona a tu hijo Aranmanoth...». Aquellas palabras eran del todo incomprensibles para él.

Un intenso dolor que no podía localizar en su corazón, puesto que lo mismo podía obedecer a un gran amor como a un odio salvaje, le invadía. La luz se hizo aún más intensa, como fuego blanco y, al mismo tiempo, transparente. Y oyó nuevamente su propia voz que, en un tiempo que aún no sucedía, repetía una y otra vez: «Hijo mío, hijo mío, yo soy tu verdugo y tú mi salvación». Pero ya la voz del niño se había apagado. Únicamente quedaba un lejano rumor, como el llanto de algún desconocido manantial.

La luz desapareció, pero no el fuego abrasador del mes de las espigas. Lentamente, Orso descabalgó, se despojó de su recién estrenada cota de malla, su casco, su espada —incluso de su espada—, arrojó el escudo, olvidó la lanza, descalzó sus ardorosos pies y, al fin, lanzó lejos la camisa blanca de lino. Y corrió, corrió como un gamo —y verdaderamente lo parecía, por su belleza y su agilidad, por la exacta precisión de sus saltos en el aire, que parecía que volase—, hasta adentrarse en la espesura del bosque.

Y por fin sintió que se reencontraba con aquel bosque oscuro y apretado que aún vivía en su corazón

sin que él lo supiera, un bosque poblado de misteriosas criaturas que alguna vez, años atrás, fueron nom-
bradas en voz baja por las sabias mujeres. El bosque le
devolvía la frescura de la infancia que regresaba ahora
a su memoria. Y a la vez le trasladaba a una lejana paz
que parecía restituirle a los confines de alguna muerte
o algún renacimiento desconocidos.

Orso era un muchacho corriente, ni bueno ni malo,
ni excelente ni lamentable, ni demasiado diestro en las
armas, ni torpe en su manejo. Orso era un muchacho
como la mayoría de los muchachos: hermoso —por
sano—, inteligente —por no necio—, y curioso —por joven—. Pero Orso oía voces, y este don heredado —no
sabía cómo ni de quién— le hacía revivir ahora sus
primeros años, cuando compartía vida, curiosidad y lágrimas con su madre y con las mujeres que, con ella,
hilaban en las ruecas. Las mismas que hablaban del
tiempo que se fue, que era y que será con tanta familia-
ridad que parecía que éste fuera un hijo, o un padre, o
alguien que está siempre a nuestro lado: inseparable y
ligeramente molesto.

Desnudo y sin protección —situación que hizo pensar a alguna criatura escondida entre la hierba que los
humanos no eran tan despreciables— se echó en el suelo
entre los helechos. Aquél era un inmenso y altísimo bosque de hayas que apenas permitía al sol atravesar sus

ramas. Orso arrancó un manojo de helechos y con él
secó el sudor que le cubría. Una suave brisa le rozó a la
vez que zarandeaba las ramas de los árboles. El muchacho cerró los ojos. Y fue entonces cuando oyó, por primera vez, la voz del agua.

Levantó la cabeza, sudoroso aún y embriagado de
aquel cristalino rumor. Nuevamente el perfume antiguo, femenino, el que rodeaba y esparcía la rueca de las
mujeres, regresó con toda su intensidad, como en busca
del primer o último día de su vida. Fue un momento
eterno, parecido al fuego, tan antiguo y misterioso
como él, pero más allá del fuego humano, más allá de
las palabras y de lo que con ellas se expresa, más allá de la
vida y de la muerte. Los cabellos de Orso resplandecían
y, en sus ojos, la luz era la luz de la primera mirada. Entonces Orso se transformó en una hoguera. No en una
hoguera dañina y destructora, depredadora de bosques
o arma de guerra: acaso podría compararse con aquello
que el otoño hace con el sol entre las hojas.

Conducido por la voz del agua, Orso avanzó, árboles adentro, hacia aquel murmullo. Y al fin, todo rumor
dejó paso al único sonido que brotaba de una pequeña
cascada. Orso se precipitó hacia ella: todo su ser se había convertido en una gran sed. Se metió en el agua y se
adentró en la cascada. El agua, fría y casi blanca, sobre
su cuerpo, era únicamente placer.

En esto estaba cuando de entre aquel torrente blanco
fue dibujándose una silueta. Al principio, Orso no dio
demasiada importancia a aquellos contornos. Durante
el tiempo transcurrido en el castillo del Conde, en dis-

tintas ocasiones, y sobre todo en horas de sol, había creído vislumbrar siluetas que no atinaba a descifrar pero que, no por ello, le llegaban a inquietar. Pero todo era ahora diferente. Orso estaba acostumbrado a adivinar imposibles, y así, lentamente salió del agua, regresó a la orilla del río y se tendió de nuevo sobre los helechos. Aún su piel estaba cubierta de perlas cristalinas, y en sus largas pestañas doradas estallaba la luz del sol. Por vez primera se dijo que era una criatura afortunada porque, acaso, lo que sentía en aquel momento era la felicidad.

Estuvo así, respirando suavemente y frenando cualquier pensamiento inoportuno. De nuevo llegó la brisa hasta él y se durmió mientras oía las pisadas de su caballo que se adentraba en el bosque, libre y en paz, olfateando hierbas a su antojo o bebiendo, quizá, agua de aquel río que había formado la pequeña cascada. Cuando despertó, una inmensa calma le invadía.

Los años de aprendizaje en el castillo del Conde fueron duros. Pero ya antes su padre había dejado la huella de los latigazos que debían inculcarle voluntad y rigor en su espalda de niño, y prepararle para una vida destinada a asumir y ejercer el poder y evitar que otros lo hicieran. Pero ahora retornaban las antiguas voces y el rumor lejano e inolvidable de las ruecas, y el perfume de algunas palabras surgidas de aquéllas que fueron —y siempre serían— las misteriosas mujeres de su infancia.

Orso alzó la cabeza y escuchó. Escuchó no sólo con sus oídos, sino con todos sus sentidos. Y aún más, con su memoria, su curiosidad, su añoranza y su misma piel.

Poco a poco fue incorporándose de entre los helechos y, como si un invisible y sutil dogal le encadenase y condujera, fue avanzando de nuevo hacia la cascada. De allí parecía brotar la voz que Orso escuchaba. Era la voz del agua, la voz de la vida. Y de nuevo aquella silueta se perfiló, ahora más nítidamente, entre la espuma blanca y torrencial. Orso entró en el raudal blanco del agua y supo que otro cuerpo le abrazaba. Un cuerpo a la vez carnal y etéreo, desconocido, sensual y casi intangible. «¿Quién eres?», alcanzó a murmurar.

En aquel momento apareció ante sus ojos, con toda claridad, una criatura que, ni en sus más alocados sueños, podía compararse en belleza y extrañeza a cuantas conocía. Era una criatura casi traslúcida, y sus largos cabellos, más brillantes y dorados que el sol, le deslumbraron.

Ella dijo entonces:

— Yo soy la más pequeña de las hadas del agua. Te he visto avanzar sobre la hierba; he visto cómo te cubrías con mi agua, con mi vida, y te amo. El agua es mi reino, y sólo tú has sabido gozar de ella sin abusar.

Orso no sabía qué responder. En realidad no entendía nada de lo que aquella criatura le decía. Y, además era la primera vez que tenía a una mujer —si es que lo era— entre sus brazos. Hasta aquel momento, el muchacho había tenido pequeños amoríos, especialmente con sus camaradas más jóvenes; sabía lo que eran las caricias y los besos, y lo que pueden llegar a ser los umbrales del amor, palabra que oía repetidamente y que, sin embargo, sospechaba que pocos conocían. Entonces Orso sintió, a partes iguales, temor, deseo y placer.

—¿Quién sois...? —preguntó mientras estrechaba aquel cuerpo contra el suyo. Y en torno a ellos, y sobre ellos, el agua se había convertido repentinamente en algo parecido a la música, aunque Orso no estaba seguro; acaso eran los largos y encendidos cabellos que, como el sol y el agua, se enroscaban en él y le retenían.

—No sé quién sois —murmuró Orso, entre feliz y temeroso. Estos dos sentires, a menudo, se entrelazan. Y ella sólo respondió a sus preguntas con el balbuceo de quien descubre un sentimiento que la había conducido más allá de su naturaleza mágica.

Entonces, aquella criatura no se diferenció de cualquier mujer, y Orso, por vez primera, conoció lo que se entiende por ser amado y correspondido.

Orso respiraba suavemente entre los helechos y la hierba; tan en paz consigo mismo como nunca antes se había sentido. Frente a él se encontraba la más hermosa de las mujeres. Era alta, tanto como él mismo y, aunque estaba desnuda, sus largos cabellos dorados la cubrían como un manto de oro. Sólo sus pies, blanquísimos, asomaban bajo aquella resplandeciente túnica, y le conferían tal fragilidad, tal inocencia e indefensión, tal desamparo, que el corazón de Orso se conmovió y a punto estuvo de echarse a llorar. Se contuvo: desde su primera infancia a Orso le estaba severamente prohibido llorar.

Pero ella le sonreía y le tendió los brazos. Sus manos se entrelazaron mientras, con movimientos tan gráciles que sólo la hierba mecida por la brisa podía parecérsele, el hada se arrodilló a su lado. Acarició sus cabellos, besó sus labios dulcemente y dijo:

—Orso, sé quién eres, sé que alguien como yo, de mi naturaleza, no tiene lugar en tu vida. Se espera mucho de ti entre los tuyos... Entre los de mi especie eres la juventud, el amor y, quizá, la rara inocencia que aún pervive entre los humanos. Yo soy la más joven de las hadas del Manantial y he sucumbido ante tu belleza y la pureza de tu corazón... Sin embargo, he de pagar por este desliz. Sólo así podré recobrar mis atributos de hada. Por ello, he de comunicarte algo: no volverás a verme y lo más seguro es que, obedeciendo a tu naturaleza, me olvides. Los humanos aprenden a olvidar fácilmente. Pero sé que tu semilla ha prendido en mí y así, dentro de un tiempo recibirás el fruto de este arrebato: ese fruto será una criatura especial, diferente, medio mágica, medio humana y, por encima de todo, será un niño sagrado. Esto quiere decir que estará destinado a ser el objeto de algún sacrificio, el que purifica o el que redime.

Entonces el hada se inclinó aún más y, hundiendo las manos en el Manantial, extrajo de él algo brillante y dorado.

—Toma esta loriga mágica. Cuando la lleves sobre tu cuerpo nadie podrá hacerte daño..., excepto tú mismo.

—¿Yo mismo? —preguntó asombrado Orso—. No conozco a nadie tan necio o tan loco que haga una cosa semejante. Y os aseguro que no soy necio ni estoy loco.

No había terminado de pronunciar estas palabras cuando el hada del Manantial desapareció.

En un primer momento, Orso creyó que su encuentro con el hada no había sido más que un sueño. Pero cuando se incorporó, casi le cegó el brillo de las escamas de oro que componían la loriga. Reflejaban los rayos del sol entre las ramas con una luz más grande que ninguna. Allí estaba la loriga, la prueba de cuanto le había ocurrido.

Un irreprimible deseo de aquella criatura le lanzó hacia la cascada, la buscó entre la espuma y luego en el Manantial. Le pareció descubrir en el fondo del agua, entre las pulidas piedras rojas, azules y plateadas un resplandor de lo que creía eran sus huellas. Pero no lo eran.

Ella no estaba; ella era ya, tan sólo, una desaparición. Y esta desaparición era lo único que quedaba del inmenso placer y del ensueño que por primera vez había sentido y compartido.

«Nadie podrá hacerte daño..., excepto tú mismo», repitió para sí el joven Orso. «Excepto tú mismo», volvió a decir. Un vago temor se fue abriendo paso en su mente. Las últimas palabras pronunciadas por el hada se asemejaban demasiado a una profecía.

Lentamente fue recogiendo su ropa, su blanca camisa de recién nombrado caballero, su cota aún sin rastros de sangre; se vistió y calzó de nuevo, protegió su cabeza bajo el casco y ajustó la espada a su cinto. Antes de montar nuevamente a su querido Gero, recogió del suelo su loriga y la estuvo mirando largo rato, hasta que el sol reflejado en ella le deslumbró, y Orso se vio obligado a apartar sus ojos. Estaba hecha de láminas de oro sobrepuestas unas a otras, como el lomo de algunos peces. Parecía tan frágil como una tela fina, de las usadas por las damas, y, sin embargo, de ella emanaba una fuerza, una protectora y a la vez peligrosa fortaleza que hizo que todo su cuerpo se estremeciera.

Con el ánimo aún turbado, Orso guardó la loriga entre sus enseres y reanudó su camino hacia la casa de su padre.

Capítulo II

Capítulo III

Cuando Orso divisó, aún lejanas, las montañas que anunciaban su tierra, un antiguo olor, como un perfume cálido y envolvente, llegó hasta él invadiendo cuanto le rodeaba. A golpes de memoria supo que regresaba a sus raíces, y espoleó su montura intentando acortar cuanto le fuera posible la distancia que aún le separaba de aquellas tierras.

Una alegría, casi dolorosa, crecía en su interior. Los recuerdos de su infancia, sus sueños de niño, las conversaciones de las mujeres junto al fuego se mezclaban ahora, atropelladamente, con las duras imágenes de su aprendizaje en el castillo del Conde para convertirlo en un joven destinado a la violencia. Los latigazos con que su padre le advertía de la dureza del mundo se confundían en su memoria con los aullidos de aquel pequeño perro, sin raza ni destino precisos —puesto que ni era cazador, ni pastor, ni era faldero; sólo pequeño y amigo—

que le acompañaron hasta el último recodo del camino la mañana en que partió hacia el castillo del Conde, y que se perdieron —ahora lo sabía— como el sol y las montañas, mundo abajo. Pero todo regresaba ahora, confuso y nítido a la vez, doloroso y sobrecogedor. El pequeño mundo que Orso conocía se mezclaba en su memoria.

En la linde de sus tierras le esperaban sus gentes. Por un momento se sintió conmovido por la fugaz ilusión de que su madre estuviera allí, con los brazos abiertos como la recordaba el último día, cuando le despidió de la casa. Y una pregunta ensombreció la alegría del regreso: «¿Por qué mi madre abría los brazos para despedirme, como si estuviera esperándome? ¡Qué extrañas y desconocidas son las mujeres!», pensó. Y las recordó vivamente, como si las viera, al tiempo que se veía a sí mismo corriendo hacia ellas, tras una travesura, en busca de refugio. «¡Qué misterioso es su mundo!», se dijo en voz alta.

Cuando se halló junto a su padre, el Señor de Lines era sólo un pálido reflejo de aquél que Orso conservaba en su memoria. «¿Acaso siempre había sido así?», se preguntó desconcertado. Alejó estos pensamientos de su mente y se inclinó hacia el lecho donde intentaba incorporarse un anciano tan frágil y quebradizo que nadie ahora podría imaginarle sosteniendo un látigo en la mano. Habían pasado muchos años. Tantos que Orso comenzó a dudar de sus recuerdos.

Ayudado por su sirviente Mut, tan envejecido como él y tan obediente como siempre lo había sido, el Señor de Lines se incorporó y contempló a su hijo como jamás lo hiciera antes:

—Orso —dijo—, tú serás ahora el Señor de Lines.

Y, apoyando sus manos temblorosas sobre los hombros del muchacho, le besó en ambas mejillas por primera y última vez.

Antes del amanecer murió.

A partir de aquel día, tras el entierro de su padre, Orso se convirtió en el joven Señor de Lines. Poco a poco su carácter y su comportamiento fueron transformándose. Se volvió hosco y huraño, silencioso e introvertido; en sus ojos, el brillo que siempre resplandecía al contemplar las montañas o los bosques ahora no era más que una tenue luz a punto de extinguirse, una luz sin apenas vida que recordaba a la que recubre algunas piedras bajo el agua, escondidas y mudas. Y llegó el día en que el parecido con su padre era tal que familiares, campesinos y siervos llegaron a confundirle con él.

A veces, alguna anciana, hilando en su rueca, decía:

—Orso era un niño hermoso, bueno y tocado por las criaturas del bosque. Me acuerdo de sus cabellos castaños, casi dorados, y de sus ojos dulces como el mosto: tenían su color. Pero el tiempo le ha vuelto oscuro y fiero, y poco recuerda a aquel niño que, algunas veces, venía a pedirme que le contara la leyenda del hada del Manantial. Ahora es el Señor de Lines y apenas se diferencia de su padre. También he visto el látigo en su mano y he oído su restallar. Y me pregunto: ¿adónde se fue ese niño que yo conocía y que, sin embargo, no ha muerto, ni está en ninguna parte?, ¿qué ha sido de él?

¡Ay, la vida es una larga pregunta que nadie sabe contestar!

Aquellas criaturas del bosque a las que aludían las viejas hilanderas habían abandonado, al parecer, al joven Señor de Lines.

Pasaron algunos años, durante los cuales Orso hubo de probar su lealtad al Conde. Fue requerido en varias ocasiones para combatir junto a su señor en las innumerables luchas que éste mantenía con sus vecinos o sus enemigos personales —y eran muchos, según pudo ir conociendo Orso—, puesto que su señor era belicoso, ambicioso y, a la vez, poco escrupuloso con sus semejantes. Orso le había jurado lealtad, y este pacto, según le aleccionara su padre, era sagrado. El Conde era su señor y le debía obediencia.

Orso no tenía grandes ambiciones, ni era violento por naturaleza y, aunque se veía abocado a pequeños lances —que mucho respondían a estos dos incentivos—, la verdad es que su vida transcurría sin grandeza alguna. Tal vez, por su talante, o a pesar de él, lo cierto es que el Conde fue distinguiéndole de los de su entorno. Le otorgó honores y donaciones sustanciosas que, quizá, otros merecían más que él. Fue, por tanto, objeto de envidias y rencores. Pero tan oscuros sentimientos, del mismo modo que se encendían, se apagaban sin ruido ni grandes consecuencias.

Una noche Orso despertó envuelto en sudor e inquietud. Era la inquietud que causa sentirse observado por alguien. Pero estaba solo, únicamente el pequeño lebrel, Rai, que dormía plácidamente a sus pies, y Ari, su sirviente, le acompañaban. Ambos dormían. Sin embargo, Orso notaba que alguien le estaba mirando o, al menos, recordando, que son cosas parecidas.

Un lejano rumor de agua llegó hasta él. La voz del agua volvía, y Orso permaneció inmóvil unos segundos mientras aquel sonido se hacía cada vez más preciso. Después de tantos años de miedo y silencio, regresaban las voces, las mismas que marcaron su infancia y que —ahora lo sabía—, como lento y espaciado goteo, eran parte de su vida: «Despierta, Orso, y recibe al hijo que te prometí y al que debes amar».

Orso se cubrió apresuradamente con el manto y, aún descalzo y sin despertar a nadie, descendió hasta el último escalón de la torre.

Entonces vio a un hombre viejo. Tenía el aspecto de un campesino y llevaba de la mano a un niño. El anciano le dijo:

—Señor de Lines, éste es tu hijo: Aranmanoth, Mes de las Espigas.

Y, apenas lo hubo dicho, el viejo desapareció, como si nunca hubiera estado allí. Sin embargo, el niño permanecía quieto, mirando a Orso tan intensamente que éste no pudo sino apartar sus ojos de él.

El niño tendría unos diez u once años. Era alto, delgado y tan rubio que parecía contener toda la luz de agosto.

Entonces Orso se inclinó hacia él y le dijo:

—¿Qué es lo que ese hombre ha dicho? ¿Quién eres y por qué estás aquí? —Porque Orso había olvidado, como bien anunció el hada, lo que años atrás había sucedido en el Manantial.

El niño sonrió, y jamás Orso recordó, en todos los años de su vida, una sonrisa parecida: ni alegre ni triste, algo parecido a un despertar. Y, por primera vez, oyó su voz:

—Yo soy tu hijo Aranmanoth, Mes de las Espigas.

—¿Mi hijo? —casi gritó Orso—. Yo no tengo hijos.

—Soy Aranmanoth, Mes de las Espigas. Tu hijo.

Entonces, el antiguo rumor regresó y Orso recuperó en su memoria la voz del Manantial, las palabras del hada y su presencia incorpórea en el bosque. Se arrodilló ante el niño, le abrazó, y le dijo:

—Hijo mío —entre asombrado y temeroso—, hijo mío.

Y, como todos los padres del mundo, no supo decir nada más.

Aranmanoth sacó un pergamino de entre los pliegues de su túnica y se lo entregó a Orso.

—No sé leer —dijo Orso, por primera vez pesaroso por semejante carencia.

—Yo lo leeré para ti —dijo el niño.

Pero no fue necesaria aquella lectura porque la voz regresó, y Orso pudo conocer cuanto deseaba decirle: «En el calendario del viejo rey soy el Mes de las Espigas, y es el Mes de las Espigas Aranmanoth, que fue concebido por Orso y el hada más joven del Manantial. Soy el llamado Aranmanoth, de doble naturaleza, a medias mágica, a medias humana. Yo soy la juventud y la vida y tú eres mi padre».

—¡Fui víctima de un encantamiento o brujería! —gritó Orso. Estaba asustado. Era valiente, e incluso cruel con quienes le parecía oportuno, pero ahora no sabía a quién debía enfrentarse, puesto que ni siquiera se trataba de un enemigo conocido o presentido. Y esto le confundía de tal modo que ninguna de las enseñanzas ni entrenamientos recibidos le valía ahora para defenderse o atacar.

Entonces dijo el niño:

—Yo soy tu hijo, Aranmanoth.

—¿Aceptas que fui víctima de un encantamiento? —gritó Orso. Y temblaba al decirlo, como no había temblado nunca ante la espada o la lanza.

—Sí —repitió el niño como un eco—. De un encantamiento.

Un silencio tan grande que ni la hierba osaba crecer, ni las nubes navegar, ni el viento empujar hoja alguna, llegó hasta ellos. Y como una corteza estalló la escondida memoria que durante largo tiempo llevaba aprisionada, y regresó la voz antigua, y con ella el rumor del agua, la sombra del bosque, la hermosa criatura que le abrazó y que, por primera vez, le hizo conocer cuán placentera puede ser, entre los brazos de otro ser, una agonía pequeña e infinita. Todo renacía en su corazón, y sólo atinó a repetir: «Hijo mío».

Orso abrazó a Aranmanoth, y conoció el aroma a trigo de sus largos y dorados cabellos, tan rubios como jamás viera y, acariciándolos con sus dedos, palpó en sus extremos una pequeña trenza. Así era cada mechón, como una delicada espiga.

—Encantamiento —se dijo una vez más, llevándose a los labios aquella espiga amada y nacida de sus más remotos deseos—. Encantamiento.

Despertó a la casa, despertó a todos sus habitantes, desde el más engreído mayordomo al más travieso pinche de cocina.

Reunió a su gente en el patio y, llevando de la mano a Aranmanoth, dijo:

—Éste es mi hijo muy amado, éste es Aranmanoth, Mes de las Espigas, y en él descansa toda mi esperanza y cuanto poseo. Respetadle, amadle y temedle, porque en él deposito todos mis deseos.

Por supuesto que ninguno de cuantos escucharon estas palabras comprendió su significado. Acaso, el mismo Orso tampoco. Pero la antigua voz hablaba entre sus labios. Y un suave, dulce temblor hacía que sus palabras, si no comprendidas, fueran acatadas.

A partir de aquel día Orso fue requerido, cada vez con más frecuencia, por su señor, el Conde. Éste engrandecía sus dominios con una rapidez asombrosa, y su nombre era cada vez más conocido tanto por la crueldad que demostraba con quienes se oponían a sus intereses, como por su generosidad hacia quienes le eran adictos. El Conde, tan oscuro en su apariencia como brillante en sus hazañas, era extremadamente astuto y buen conocedor de las miserias humanas. Utilizaba con gran sabiduría tanto la bien adiestrada tropa a su mando, como la humana naturaleza de cuantos le rodeaban y servían. Apreciaba a Orso por su lealtad. Le tenía por buen soldado —aunque sin rozar el heroísmo—, y esta particularidad era muy bien considerada por un hombre como el Conde, que no se dejaba llevar por actos heroicos, sino por el buen sentido, la prudencia y la lealtad. Y de este modo, día tras día, escaramuza tras escaramuza, Orso fue ascendiendo en su consideración y, naturalmente, en su posición. Porque, al fin y al cabo, Orso era bueno, valiente sin locura, de talante noble, porque no había ocasiones de no serlo y, si acaso alguna vez se le presentó esta posibilidad, o bien no se enteró de cuántos beneficios podría obtener, o bien éstos se le antojaron demasiado trabajosos comparados con los provechos que podrían reportarle. El caso es que Orso acabó siendo, si no la persona más adecuada para que el Conde le tuviera como brazo derecho, al menos sí un cómodo bastón.

Y así fue como un buen día, durante una de las muchas cacerías a caballo con las que el Conde entretenía sus ocios entre batalla y batalla, tomó del brazo a Orso y llevándolo consigo a un lugar apartado, bajo la sombra de una gran encina, le dijo:

—Querido Orso —la voz del Conde tembló de emoción al pronunciar estas palabras—, he de confiarte algo que nos atañe a ambos.

—¿Qué es, señor? —murmuró Orso temiendo cualquier cosa.

Porque el joven Señor de Lines, aunque más o menos satisfecho de su vida, acostumbrado como estaba a vivir entre sus gentes, sin grandes esperanzas ni tampoco grandes pesares, en lo más escondido de su corazón abrigaba la sospecha de que alguna desventura le acechaba y estallaría cuando menos lo esperase.

—Quiero que te cases, que tengas muchos hijos y así consolidar tu situación... —el Conde se interrumpió unos segundos, pensativo—. Te concederé un feudo con derecho a herencia... ¡Pero, eso sí! Mantendrás siempre tu vasallaje.

Orso no supo qué decir. La impresión causada por las palabras del Conde le hizo enmudecer. Entendía lo que decía su señor, pero a la vez intuía que algo escapaba a su olfato de humilde perdiguero.

—Vuestras palabras me honran —murmuró, al fin, cautamente—. Pero sabed, señor, y con ello sé que esta confesión puede acarrearme infortunios, que no deseo en modo alguno contraer matrimonio.

Y añadió en tono respetuosamente confidencial:

—Las mujeres, en general, no me gustan. Claro que... hay excepciones. Y, para complaceros, estoy dispuesto a conocer a alguna.

El Conde no acostumbraba a oír de sus vasallos tamaña sinceridad y, tras la primera sorpresa, consideró y apreció la nobleza de las palabras de Orso. Reflexionó durante unos segundos y, al fin, dijo:

—Comprendo cuanto acabas de confesar y aprecio tu honestidad. Muy pocas son las personas, entre las que me rodean y adulan, que tienen el valor necesario para exponer ante mí sus debilidades. Y menos común es aún el hecho de que esto suceda tras haberles ofrecido una mejora en sus vidas... ¡Muchacho querido! —y Orso estuvo a punto de caerse del caballo, puesto que aquellas palabras dirigidas a él le parecían un ave errante, de esas que huyen hacia los países cálidos cuando llega el invierno. Y para él, tras haber escuchado a su señor, el mundo era ya implacable invierno.

Continuó el Conde:

—He elegido para ti una bellísima criatura con todo el candor de una doncella. No lo olvides, Orso. Durante mis incursiones por el Sur he sellado y concertado acuerdos muy sensatos con algunos de aquellos señores que se creen reyes sencillamente porque sus ciudades están amuralladas... En fin, creo que sabes a quiénes me estoy refiriendo —Orso no tenía la menor idea de aquellas gentes puesto que nunca había acompañado a su señor en sus hazañas por el Sur, un territorio que constituía para él un gran misterio, casi una leyenda, pero que tampoco le inquietaba en exceso—. Te voy a dar la esposa más conveniente a nuestros intereses, tanto a los míos como a los tuyos. Debes desposarla antes de la llegada del invierno y, a cambio, tras la ceremonia, cuando aún no se haya consumado el matrimonio, precisaré de tus servicios, ¡y por largo tiempo! —El Conde dejó escapar una risita totalmente ausente de alegría.

Orso callaba. De todos modos, si es que algo se le hubiese ocurrido —que no se le ocurrió— tampoco lo habría dicho. ¿Para qué? Su destino estaba trazado desde el principio, desde mucho tiempo atrás, mucho más incluso de lo que el mismo Orso llegaba a imaginar.

El Conde, tras una pequeña cabalgada, dijo:

—Tengo grandes intereses en el Sur. ¿Conoces el Sur? ¡Pues bien! A las orillas del Gran Río, el Sur es la tierra más bella que vieron mis ojos. ¿Conoces los viñedos, el olor de la tierra mojada, el verdor cambiante del Gran Río?

—No —respondió escuetamente Orso.

—Pues bien, es una tierra tan hermosa como jamás tú o yo podríamos soñar.

—¿Por qué? —se aventuró a preguntar Orso sin demasiado entusiasmo.

—Porque allí reside una fuente: la alegría, la sonrisa del mundo y, también, ¡no te quepa la menor duda!, la locura, el despropósito; eso que jamás debemos imitar... Pero ven, acerca tu oreja a mis labios y te confiaré un secreto que, espero, no divulgues jamás.

Orso reflexionó durante un instante —mucho más no era posible en él— y, al fin, acercó su montura a la del Conde porque era la única manera de acercarse a su oreja. Y dijo:

—Claro está que no lo voy a divulgar. Entre otras razones porque no conozco personas interesadas en ello... Señor, podéis confiar en mi discreción.

—Eres lo más preciado del mundo, Orso —dijo el Conde, no se sabía si con pena o con alivio—. Ojalá que cuantos me rodean fueran como tú.

Y, al fin, le confió:

—Tengo envidia del Sur. Lo temo y lo odio.

Días más tarde, el Conde llamó de nuevo a Orso. Se encontraban en lo alto de una colina y desde allí Orso pudo contemplar la espesura de un bosque de hayas que, por un momento, trajo a su memoria la imagen de un río que a punto estaba ya de secarse en su corazón. Cuando le tuvo delante, el Conde sonrió con benevolencia, algo inusual en él, y dijo:

—Orso, he concertado definitivamente tu matrimonio. Como ya te anuncié, se trata de una muchacha bella, honesta —no tiene más remedio que serlo, puesto que aún no alcanza la edad de nueve años—, y dentro de unos cuantos, los precisos para que pueda dar hijos, será tu esposa verdadera.

Y al decir «verdadera» recalcó la palabra, como el que da el último martillazo a un clavo. Orso se estremeció y miró a su señor con ojos que, más que ojos, eran una súplica.

—Tranquilízate, Orso; aún es una niña. Y sólo transcurrido un tiempo podrá ser efectivamente tu esposa. Mientras tanto puedes triscar cuanto quieras en prados, bosques o montañas. No me importa, pero sí quiero que, llegado el momento propicio, cumplas cuanto te ordeno y no me defraudes. Mi generosidad no será, entonces, una palabra al viento.

Orso inclinó nuevamente la cabeza y su silencio fue más elocuente que cualquier palabra que hubiera pronunciado. Además, no se le ocurrió ninguna que pudiera expresar su desazón.

—Así lo haré —dijo Orso, más para sí mismo que para los oídos del Conde. Y su voz se alejó con el viento, que aquel día soplaba con una misteriosa fuerza, hasta adentrarse en lugares que ni el mismo Orso alcanzaba a imaginar.

Algún tiempo después, en tierras de Orso, se anunció la llegada de la joven prometida.

Y llegó el día en que entró en aquella tierra y en la mansión de Lines, con tanto boato y festejo que parecía más la llegada de una princesa.

Orso la aguardó en la linde de sus dominios. Cuando al salir del bosque vio avanzar la pequeña comitiva y distinguió una minúscula criatura sobre un hermoso caballo, una mano invisible se apoderó de tal modo de su corazón que a punto estuvo de gemir.

Nadie, hasta aquel momento, le había despertado tanta piedad. Era una niña, sólo una niña, muy frágil y pequeña, que intentaba mantenerse impávida sobre la montura. Tenía hermosos cabellos negros, rizados, que, súbitamente, trajeron a la memoria de Orso los racimos de uvas negras que otoño tras otoño acarreaban sus sirvientas desde tierra sureña.

Capítulo III

Desde el día en que Aranmanoth llegó a Lines, Orso le distinguió de cuantos le rodeaban. No sólo porque era su hijo —y él no lo dudaba—, sino porque conociendo su doble naturaleza, medio mágica, medio humana, sabía que debía cuidar de él con mayor atención.

Aranmanoth era una criatura más bien silenciosa. Apenas hablaba y, si esto ocurría, sólo lo hacía con su padre. Era un niño muy bello, alto —muy alto para su edad—, delgado y con grandes ojos azules, de un azul poco frecuente, parecido a los cielos despejados de nubes después de la tormenta. Se rumoreaba, tanto entre los que le querían como entre los que le envidiaban, que el color de sus ojos era el gran azul que, en ciertos días de verano, se extiende sobre los trigales. Su mirada era limpia, cristalina, como el agua transparente de un manantial, y en ocasiones se le encontraba contemplando el cielo o a algún ave que lo atravesaba, y parecía —eso se decía— que entre el cielo y el niño existiera un pacto silencioso que les hacía brillar a ambos. Y además había en él algo, si cabe, aún más peculiar, algo que, por una parte, atraía y, por otra atemorizaba a cuantos le miraban. En los extremos, sus largos cabellos, mechón a mechón, se trenzaban de forma natural de manera que se asemejaban increíblemente a las espigas que inundaban los campos del verano. Nadie podía dejar de mirar sus cabellos. Se rumoreaba que eran espigas milagrosas, capaces de curar lo incurable, y algunos decían que sólo bastaba contemplarlos o rozarlos suavemente para que una extraña y bella calma se instalara en el corazón de cuantos se acercaban a él. Pero como suele suceder con todas las cosas inexplicables y bellas, Aranmanoth también causaba temor, un temor del que él apenas era consciente y que ni siquiera presentía puesto que, desde su llegada a la mansión del Señor de Lines, el niño se mostró ante todos como cualquier otro. Y poco a poco fue saliendo de su silencio: jugaba, reía, preguntaba y procuraba mezclarse con cuantas criaturas de su edad encontraba. Y de este modo, Aranmanoth jugaba con otros niños, se bañaba en el río y escuchaba sobrecogido, confundido entre los demás, las antiquísimas historias que la anciana Mengoa, junto al fuego, contaba durante las noches de invierno en su cabaña. Y oyéndola, Aranmanoth, como los demás, buscaba manos amigas, abría los ojos y encendía su imaginación —y acaso escuchaba lejanos ecos de un mundo que no atinaba a emplazar en su memoria—. Luego regresaba a la casa y dormía plácidamente en el pequeño lecho que su padre había ordenado habilitar junto al suyo. Porque Orso desde el principio deseó que su hijo participara de casi todos los momentos en que distribuía su jornada. Aranmanoth le seguía allí donde iba, y recibía ansioso sus instrucciones y enseñanzas.

El niño estaba al lado de su padre cuando, a lo lejos, divisaron a la joven prometida. Orso buscó los ojos azules de su hijo y le preguntó tembloroso:

—Aranmanoth, hijo mío, dime qué debo hacer.

Pero Aranmanoth no dijo nada.

Y Orso sintió alivio e inquietud ante el silencio de su hijo.

Era una tarde de otoño, cuando los bosques aparecen encendidos por el último sol. Rojos, dorados y de un suave castaño se extendían como un manto sobre la tierra.

Padre e hijo permanecieron inmóviles y en silencio mientras observaban cómo aquella niña se acercaba lentamente a su nueva casa. En ambos se había instalado una sobrecogedora emoción que les impedía hablar. Orso apretó entre la suya la pequeña mano de Aranmanoth y así estuvieron largo rato, intuyendo quizá, cada uno a su modo, que algo parecido a una despedida llegaba ahora hasta ellos.

La niña parecía demasiado erguida sobre su caballo, tal vez a causa del temor a desvelar su fragilidad. Entraba en una tierra desconocida, entre gentes desconocidas, y su corazón temblaba. Venía de un país de suaves colinas, allí donde el Gran Río aparecía bordeado de viñas y el aire esparcía al resplandor del sol el dulce aroma del mosto mezclado con el color de la miel. Ahora, en cambio, la recibía, y parecía espiarla, un país erizado de bosques, bordeado y cruzado por grandes montañas; y regresaban a su memoria historias de lobos. Lobos que jamás había visto en las tierras del sur, pero de los que, en voz de cuentos de nodrizas, imaginaba su ferocidad y su acecho.

Cuando Orso, apeándola de su montura, la tomó entre sus brazos y la miró a los ojos, la niña se tranquilizó. Y no porque aquel hombre grande y desconocido le inspirara confianza, sino porque, de pronto, como el sol que atraviesa el ramaje de un oscuro bosque, su mirada le devolvió un destello de la mirada que tantas veces había visto en su padre. Éste, al contrario de otros señores, tenía para ella una suavidad que en nadie había conocido. Y así fue como, súbitamente, guiada por un recuerdo y por una ternura recuperados ante tanto temor, rodeó el cuello de Orso con los brazos y dejó que las lágrimas, demasiado tiempo retenidas, brotaran de sus ojos. Sólo los oídos del señor de Lines, muy próximos a los labios de la niña, oyeron murmurar una palabra:

—Padre...

Orso depositó a la niña en el suelo con cuanta delicadeza le era posible. Aun así sus manos temblaban.

—Señora —dijo—, os confío en manos de vuestras doncellas.

Y, como si el antiguo susurro del Manantial regresara a través de espesuras de egoísmo, mezquindad, cobardía, y, en fin, de tanta ignorancia con que poco a poco fuera apagando el recuerdo de aquel día en que tuvo lugar su encuentro con la más joven de las hadas, Orso creyó reencontrar una voz y, con la mayor dulzura de que era capaz, acarició el cabello de la niña, y dijo:

—Mejor, os confío al más noble y fiel guardián que pudierais imaginar: mi hijo Aranmanoth.

Se volvió hacia él y tomó su mano:

—Éste es mi hijo querido, el tesoro más preciado de mi corazón. Su nombre es Aranmanoth, que significa Mes de las Espigas: el tiempo en que fue concebido. Y será tu hermano, tu Guardián, hasta el día en que nuestro matrimonio pueda consumarse...

Orso se detuvo un instante, confuso, y al fin añadió:

—... según las leyes de la naturaleza.

Aranmanoth estaba a su lado, como de costumbre, quieto y en silencio. Pero había en el aire una sonrisa, tan sutil, que no distendía sus labios; sólo revoloteaba en el azul de sus ojos, y era tan leve como el temblor de una libélula sobre el agua. Se inclinó graciosamente y, ante la sorpresa de su padre y de cuantos le rodeaban, habló. Y lo que dijo fue:

—Me llenaría de gozo conocer el nombre de nuestra nueva Señora.

—Es verdad —Orso parecía sorprendido—. ¿Cómo pude olvidarlo?

—Mi nombre es Lie —dijo la niña casi en un susurro.

—¿Lie? —la vieja voz de nuevo llegaba a Orso y se confundía con sus pensamientos—. Oh, no, ése no es tu verdadero nombre. Aranmanoth, ¿sabes tú cómo debemos llamarla de ahora en adelante?

Y ocurrió que, de pronto, toda la luz del otoño con sus más encendidos colores se apoderó de la niña. Y lenta y suavemente, como tenía por costumbre, habló Aranmanoth:

—No es que debamos bautizarla de nuevo, es que siempre, desde siempre y para siempre, se llama Windumanoth, que significa Mes de las Vendimias. Tan verdad es como que mi nombre es Aranmanoth, Mes de las Espigas.

En aquel momento, un ave grande y desconocida cruzó el cielo, y su sombra se arrastró de un extremo a otro del patio hasta desaparecer. Nadie, excepto Aranmanoth y Windumanoth se apercibieron de ello, y levantaron al mismo tiempo la cabeza al cielo, y la inclinaron luego al suelo hasta que ave y sombra desaparecieron.

A partir de entonces, todo fueron festejos y alegría. Las doncellas se apoderaron de Windumanoth y la llevaron a sus habitaciones. Eran amables, cariñosas, y poco a poco, la niña fue calmando su extrañeza y sus temores.

Aranmanoth caminaba junto a su padre hacia el interior de la casa. La cabeza ligeramente inclinada del niño le hacía parecer frágil y desconcertado. Lo cierto es que no comprendía bien cuanto sucedía a su alrededor y así, acercándose aún más a su padre y tirando con suavidad del extremo de la manga, le preguntó:

—¿Por qué es preciso que contraigas matrimonio?

Orso se volvió hacia su hijo, acarició sus cabellos y le dijo suspirando:

—¡Ay, hijo mío! Porque éstas son las leyes, y las condiciones, y las obligaciones que debo cumplir si deseo continuar y engrandecer mi estirpe. Tú no sabes todavía de esas cosas, pero quizá algún día las entenderás y respetarás.

Aranmanoth miró a su padre a los ojos y a Orso le pareció que en aquella mirada brillaba una luz diferente y desconocida —quizá la luz de la oscuridad— que se interpusiera entre el sol y la tierra.

Pero Aranmanoth no dijo nada más y se retiró.

En lugar de participar en los festejos que precedían a la boda y en los que, con la generosidad que, cuando le convenía, distinguía el Conde a Orso, se prodigaban hasta siervos y campesinos, Aranmanoth se internó con su caballo en el bosque, como hacía a menudo. Una congoja, pequeña aún, pero amenazadora, como aviso de un pesar más grande, iba larvándose en su corazón.

Era costumbre en él internarse en los bosques. Se abría paso entre los árboles en busca de escondidos manantiales que siempre le devolvían a un tiempo a la vez desconocido y familiar. Porque Aranmanoth conocía, y su padre no se lo había ocultado jamás, la raíz de sus orígenes. Se sentía naturalmente atraído por el rumor del agua y podía descifrar en los helechos de los hayedos el galope casi inaudible de los caballos de los elfos, las veloces correrías entre la hierba de criaturas malignas, o los gritos que había olvidado el viento entre las ramas de los árboles, gritos de criaturas maltratadas a quienes nadie escuchó. Eran las voces del bosque, y Aranmanoth se sentía acompañado por ellas, las escuchaba y las descifraba, las comprendía a la vez que reavivaban en él una gran curiosidad hacia los comportamientos y la naturaleza de los humanos. Se decía que, acaso, su parte humana era más poderosa que su parte mágica, puesto que nació de un hada demasiado joven, un hada capaz de desear y amar la belleza de un adolescente, por lo que fue desposeída de la mayor parte de sus poderes. Desde la noche en que Aranmanoth fue entregado al mundo de los hombres, el niño no había vuelto a ver ni a oír a su madre. Y, a veces, en las largas noches invernales, cuando el lobo aullaba y la nieve despertaba el gran silencio de los bosques, Aranmanoth lloraba en su pequeño lecho junto a Orso, como cualquier niño que ha perdido a su madre.

Aranmanoth había heredado de los humanos la gran curiosidad, el deseo incontenible de desentrañar cuanto le rodeaba y parecía no tener explicación. Y así fue como su necesidad de saber y conocer todo aquello que no sabía ni conocía le empujó al bosque aquel día. La desazón que albergaba en su corazón se parecía a la rabia, una rabia que nadie, excepto él, podía albergar.

El bosque le rodeó, encendido. Era la hora más alta del otoño, y Aranmanoth sabía que aquel era un momento fugaz y único, un momento que desaparecía casi tan rápidamente como nacía. Se apeó de su caballo, se arrodilló, cerró los ojos y gritó. Su grito fue tan largo y tan antiguo que todos los helechos se estremecieron y hasta la última brizna de hierba parecía azotada. Pero su grito no podía ser oído por las criaturas humanas, del mismo modo que hombres y mujeres no pueden oír el grito de las ramas azotadas, ni de los ríos ocultos, ni del sol cuando muere o cuando resucita.

—Madre mía —exclamó—, ¿por qué me abandonaste? ¿Por qué me diste esta media naturaleza? No puedo saber quién soy. Has desaparecido de mi vida y de este mundo sin revelarme sus secretos. ¿Por qué me has traído a un mundo que sólo vivo a medias, que sólo comprendo a medias? ¿Qué hago yo en un lugar que no es mi lugar, y por qué añoro ese otro, al que tú y yo pertenecemos y que tampoco logro entender por entero?

Así estaba Aranmanoth de conturbado y triste cuando oyó unos pasos a su espalda. No eran las pisadas de los elfos ni sus pequeños corceles. Tampoco eran las pisadas de los ciervos jóvenes, que tan bien conocía, ni las cautelosas andaduras de cazadores furtivos que, en aquella estación, recorrían los bosques como sombras fugaces.

Frente a él se alzaba la pequeña Windumanoth, los cabellos al viento y los ojos asustados.

—Oh, señora... ¿Qué hacéis aquí? —gritó Aranmanoth. Porque tenía conciencia de cuánto debía protegerla y cuánto significaba para su padre.

—Aranmanoth, hermano mío, mi guardián... —murmuró ella. Y en su voz parecía temblar todo el miedo de los niños que lloran en la oscuridad—. Aranmanoth, me he escapado de las mujeres que querían vestirme y peinarme, y decirme cuánto he de desterrar de mi vida..., y encerrarme en un frasco de cristal como a una mariposa. Aranmanoth, hermano mío, yo no soy una mariposa.

Entonces Aranmanoth comprendió que su razón de ser en aquel bosque, frente a aquella niña que le suplicaba, era protegerla y salvarla de cuantas jaulas y mazmorras le acecharan, por más que éstas fueran invisibles. Y comprendió también el vuelo de aquella ave errante que dejó caer su sombra sobre sus cabezas, suelo adelante, sin que nadie, excepto ellos, se apercibiesen de su paso.

—No temas nada —dijo Aranmanoth mirándola a los ojos—. Yo estaré siempre a tu lado, para que nada ni nadie te aprisione ni retenga contra tu voluntad. Porque yo soy, no sólo tu guardián, sino tu amigo.

La niña corrió hacia él, y tal como hiciera en su primer encuentro con Orso, rodeó su cuello con los brazos, apretó su mejilla contra la de él y, así, sin palabras, dejaron que la luz del otoño se despidiera de los árboles, de la hierba y de ellos mismos. Todo fue tan rápido que apenas dio tiempo a deshacer su abrazo, mirarse a los ojos y sonreír. Así es como nace la amistad que, entre los humanos, es el sentimiento más parecido —o tal vez idéntico— al amor, por más que esta palabra fuera aún desconocida y misteriosa para ambos.

Aranmanoth aupó en su caballo a la pequeña novia y, llevándola a la grupa, entró lo más discretamente posible en la mansión. Allí se despidieron con una sonrisa y la promesa, aunque muda, de que muy pronto volverían a encontrarse.

Al día siguiente se celebró la boda. El Conde envió regalos, entre ellos, un hermoso caballo alazán, joven aún, para la novia. También una arqueta de madera negra que contenía piedras preciosas engarzadas en oro. La misiva que acompañaba era tan bella como sus presentes. Con gran orgullo y satisfacción, Orso leyó que su señor le apreciaba y le quería como al mejor de sus vasallos y que sabía que su elección era la más adecuada. De todos modos —y estaba dicho con tanta gentileza que apenas podía enturbiar la dulzura de aquel momento— requería inmediatamente la presencia de Orso en los territorios del Conde, pues malos tiempos corrían para él.

Orso leyó sus últimas palabras —o quizá advertencias, porque del Conde no se podía asegurar nunca nada— y sintió una extraña mezcla de alivio y desilusión. Lo cierto es que al Señor de Lines le agradaba ver, o creer, felices a cuantos le rodeaban: les veía beber y bailar contentos y le placían las fiestas en general, y lógicamente, en especial la de su boda. Pero también es cierto que Orso respiró aliviado ante la posibilidad de liberarse de tales boatos y regocijos.

A pesar de todos estos sentimientos, de algún modo inconfesables puesto que sólo atañían a la conciencia del Señor de Lines, la boda se celebró tal y como había sido planeada. El viejo capellán se revistió con sus mejores ornamentos que, aunque no parecieran lujosos, al menos tenían el honor de haber sido bordados por la abuela de Orso y habían sido utilizados en la boda de su padre.

La novia avanzó hacia el altar, donde la esperaba Orso, bello como jamás le vieran antes. Los cabellos castaños y dorados caían junto a su rostro en cascada brillante y rojiza. Sus ojos resplandecían y sus labios habían recuperado la antigua sonrisa de su juventud. Esa juventud que parecía perderse en la aridez de las tierras que le esperaban para mostrar su valentía y, acaso también su crueldad, como hombre que era en el mundo de los hombres.

Orso contempló con gran ternura a su pequeña esposa. Una ternura que, a golpes de duros aprendizajes en el castillo del Conde y de su propia experiencia, había alejado, si es que no desterrado, de su corazón. Era la ternura que nace ante la contemplación de la belleza o, quizá, de la inocencia perdida.

Windumanoth avanzaba lentamente puesto que la pesadez de su vestido no le permitía mayor celeridad. Llevaba sueltos los cabellos que caían sobre los hombros y, al contemplarlos nuevamente, le parecieron a Orso racimos de uvas en sazón, rojinegras, resplandecientes, y a la vez sedosas como mejillas de niño. Sus grandes ojos, dorados y asustados, parecían escaparse de la mirada curiosa de quienes la rodeaban, como ocurre con algunos animales cuando huyen entre el hayedo. Pero Orso alejó este último pensamiento y le tendió la mano. Una mano blanca y fría se apoyó en la suya, y así avanzaron juntos hasta el altar. Y la boda se celebró sin incidentes. Como cualquier otra boda, tanto de señores como de plebeyos.

Aranmanoth contempló cuanto sucedía con el mayor de los recatos. Permaneció en su acostumbrado silencio durante largo tiempo; sus ojos buscaban, casi con desesperación, los ojos de su padre que acompañaba a Windumanoth hacia el altar. Y contempló con asombro los largos cabellos, como racimos de uvas negras, de la niña. Se conmovió al verles avanzar hacia lo que, ante sus ojos, se presentaba como una nueva y dolorosa despedida. Una despedida que él no llegaba a comprender, pero que —y esto sí lo comprendía— llenaba el aire de una delicada tristeza, parecida al sol cuando se esconde entre las montañas y sólo se escucha el sonido callado del viento en el interior de la noche. De este modo miraba Aranmanoth a su padre y a su joven esposa: conmovido y temeroso a la vez.

Aquella noche, en lugar de yacer los esposos en el lecho común, cada uno se retiró a sus aposentos, y la velada pasó en soledad para ambos, como cualquier otra de sus vidas. Era lo convenido y, por tanto, nadie se extrañó ni comentó esta circunstancia.

A la mañana siguiente Orso despertó a Aranmanoth, contra la costumbre, puesto que era Aranmanoth el encargado de despertarle a él. El niño se sobresaltó cuando vio a Orso en sus aposentos, se incorporó y miró atentamente el rostro inquieto y preocupado de su padre.

—Hijo mío —le dijo, poniendo ambas manos en sus hombros—. Escucha bien cuanto he de decirte.

Aranmanoth asintió en silencio.

—Te amo como jamás he amado a criatura alguna, y sé que soy correspondido... Pues bien, atiende a cuanto te digo: de ahora en adelante, y mientras yo esté ausente de estas tierras —y te advierto que será durante mucho tiempo— cumpliendo las órdenes de mi señor, el Conde, deberás ser el guardián de mi joven esposa y su protector más escrupuloso. Atenderás cuanto ella solicite, vigilarás y aun pelearás para que nadie abuse de sus pocos años. Y procurarás que no se entristezca, ni añore las tierras y las gentes de allí donde procede. Inventa para ella juegos, fiestas y todo cuanto se te ocurra, con tal de que no se sienta sola ni perdida. Sólo tiene nueve años. Y tú —añadió con una sonrisa mientras acariciaba sus cabellos dorados de largas espigas—, tú eres un niño también y podrás entender esta encomienda mejor que nadie.

Bruscamente se separó de él. Requirió sus armas, su caballo y sus hombres, y se alejó, quién sabe por cuánto tiempo, de las tierras de Lines.

Capítulo IV

La pequeña esposa no conoció la partida de Orso hasta muy entrada ya la mañana. Se desperezaba con el sol muy mediado en el cielo y aún se resentía de la vigilia. Durante el banquete nocturno, que se prolongó casi hasta la madrugada, ella hubo de presidir junto a su esposo la poca mesura que los invitados mostraban ante la comida y, sobre todo, bebida. Sin embargo, Windumanoth estaba acostumbrada a estos excesos en su propia casa, si no como partícipe de ellos, sí como curiosa niña, escondida entre tapices. Así que no sólo no le asustaban, sino que, incluso, la regocijaban internamente puesto que, en especial los hombres que abusaban de la bebida le recordaban a las gentes de su tierra. Y su tierra comprendía también el amor a su padre, a sus cinco hermanos y a sus dos hermanas.

Las dos hermanas de Windumanoth eran quienes la llevaban a escondidas, junto a alguna otra dama, a contemplar tras los tapices o ventanas tamaños regocijos, y luego las oía decir: «Es muy aleccionador ver así a los hombres y comprobar cuáles son sus debilidades, y aprender tanto de cuanto estamos viendo y oyendo».

Y entre risas sofocadas, y confiándose unas a otras innumerables secretos, retornaban luego a sus alcobas, poseedoras, al parecer, del más preciado y escondido misterio del mundo. Al menos, así lo pensaba la niña. Ella era demasiado pequeña para participar cabalmente de estas cosas y, un día, mientras su hermana mayor, la queridísima Liliana, la recostaba y abrigaba en el lecho que compartían, le preguntó:

—¿Cuáles son los secretos de que habláis y que a mí no me es permitido escuchar? Yo soy, o seré, también, una mujer, y quiero saber cómo he de defenderme de los hombres.

Liliana la miró con asombro y quizá también con temor. Desde muy pequeña, la menor de las tres hermanas había mostrado ya una curiosidad irresistible ante todo lo que la rodeaba. Parecía que quisiera apresar en el fondo de sus ojos toda la vida que sucedía en torno a ella y hacerla suya, por más que aún no pudiera comprender los gestos y comportamientos de los adultos. Todos en su familia recordaban que las primeras palabras que la niña pronunció venían envueltas en interrogantes que provocaban asombro y admiración en quienes la escuchaban. Un asombro que después se transformaba en silencio puesto que nadie sabía qué responder para calmar una curiosidad que brillaba como brilla el fuego de una hoguera en la noche.

—Hermanita, no pienses aún en esas cosas... —dijo Liliana—. Cuando cumplas la edad pertinente lo entenderás todo.

Acarició sus cabellos y añadió, con una sonrisa que no parecía alegre, pero tampoco triste:

—Lo que has visto no significa que tengas que defenderte de los hombres. Ellos no son peores que cualquier otra criatura, como, por ejemplo, perros, pájaros o gatitos... Pero has de saber cuidarte de sus zarpazos, o picotazos, o mordiscos, y para ello es preciso conocer sus costumbres... Porque ellos han sido creados y educados para otras cosas, y no tienen gran entendimiento, al menos, hacia lo que nosotras sabemos. Por eso, digámoslo de una vez, lo que estamos haciendo únicamente es llevar a cabo otro aprendizaje paralelo al suyo, con distintas armas y otros medios para hacer posible nuestra convivencia.

Liliana fue desposada, poco tiempo después, con un joven conde de las tierras de Nores. Partió del castillo y Windumanoth no volvió a saber de ella, por más que cada mañana la niña lanzara al aire una paloma mensajera que, entre las dos, habían cuidado, con la esperanza de que trajera noticias de su hermana. Pero la paloma regresaba siempre sin noticia alguna de Liliana, ni de nadie, ni de nada, excepto de su voraz apetito.

Su otra hermana, Sira, era menuda y menos bella que Liliana. Unidas ambas circunstancias a que su dote era escasa, finalmente fue internada en el monasterio de las Damas Grises, y Windumanoth tampoco volvió a saber de ella.

Poco después, su padre le anunció que iba a casarla con un señor muy relevante, rico y hermoso, aunque considerablemente mayor que ella. «Pero no sólo en edad —recalcó—, sino también en fortuna y alcurnia.»

—Es un gran señor y habita en el Norte. Por lo que habrás de acostumbrarte a otra forma de vivir y proceder. ¡Ay, hija mía! —se explayó al fin, puesto que era hombre de cálidos sentimientos, aunque reprimidos, y mostraba una notoria predilección por aquella niña—, he de decirte algo, porque si no abro mi corazón a tus inocentes oídos a nadie podré transmitir lo que guardo en él.

Y entonces, y como si no estuviera escuchándole una niña, sino tal vez todo su pasado, como un paisaje o tapiz extendido en su memoria, como quien cuenta una leyenda, o un deseo, o algo que ha ocurrido pero que no hemos sabido entender, le contó:

—He tenido cinco hijos varones, y no me quejo de ellos, pues otros conozco mucho peores. El que más o el que menos es robusto, aceptablemente valiente y moderadamente insensato. Pero he tenido tres hijas, y ellas, mal que me pese y no sea bien visto, lo cierto es que ganaron mi corazón. La mayor, mi queridísima Liliana —y aquí una lágrima inoportuna y delatora asomó a su ojo derecho, aunque no llegó a fluir— era alegre, robusta y llena de energía. Acaso un poquito excesiva, tanto en carácter como en temperamento, pero jamás hubo otra muchacha más llena de vida en toda la tierra que alcancen mis ojos. ¡Ah, sí, mi hija Liliana hubiera podido ser el mejor de mis caballeros...! Pero nació mujer y hubo que reprimir sus dotes, su fuerza y su inteligencia. Despertaba temor entre sus posibles pretendientes puesto que no era una doncella como las que estaban acostumbrados a tratar. Sin embargo, un día, el conde de Nores, un joven respetable y honrado, la vio y se prendó de ella. No era mal partido, y más aún teniendo en cuenta la escasa dote de Liliana, así que la casé con él. Sé que tu hermana lloró durante toda aquella noche en que le comuniqué mi decisión, pero creo que ésa fue la última vez que lo hizo. Y yo también he llorado a veces, porque, al salir de cacería por nuestras tierras, echo de menos su alta e imponente silueta en lo alto del torreón diciéndonos adiós y deseándonos suerte. Y en cuanto a Sira, mi segunda hija, poco futuro le aguardaba. Además de menuda y poco agraciada, había aprendido a leer y a escribir, y esto la convertía en una contestona bastante irascible y molesta. Nunca hubiera podido casarla correctamente, así que decidí ingresarla en el convento de las Damas Grises, donde, a buen seguro, llegará a convertirse en abadesa con el tiempo. Y ahora te toca a ti, mi preciosa hijita, la más querida. Dicen las malas lenguas que eres mi preferida porque al nacer tú, tu madre murió, y por ello he volcado toda mi ternura en tu persona. Las peores lenguas van mucho más lejos y aseguran que, gracias a ti, me libré de aquella arpía que fue tu madre, quien de entre todas las mujeres fue la más insidiosa, viperina, mordaz, egoísta, vanidosa y cruel de cuantas conocí. En suma, la máxima expresión de lo que puede significar la palabra insoportable.

Estas últimas confidencias no fueron pronunciadas por el padre de Windumanoth, tan sólo estaban escritas en su mente, en su memoria y en su rencor.

La niña contemplaba y escuchaba a su padre con gran atención. No llegaba a comprender la importancia de sus palabras, pero algo parecido a las nubes negras que esconden el sol y amenazan tormenta se había apoderado ya de sus hermosos ojos y —cómo no—de su corazón.

El padre de Windumanoth continuó hablando:

—Ahora, hija mía, partirás hacia el señorío de Lines, hacia el Norte. Allí te espera una nueva vida entre nuevas gentes que, de verdad lo espero, sabrán hacerte feliz.

Entonces levantó su mano al cielo, con el dedo índice enhiesto, y añadió:

—No me defraudes —y suspiró emocionado—. Ahora te entrego este anillo, el último de los tres que destiné a mis hijas. Tómalo, guárdalo y llévalo siempre contigo y, si algún día te hallas en un apuro y me necesitas, envíamelo y acudiré en tu ayuda.

Entregó el anillo a su hija —era un simple aro de oro sin adorno alguno—, pero no le explicó de qué manera, si es que llegaba el caso anunciado, podría la niña hacérselo llegar. Olvidos así eran frecuentes en aquellas tierras y entre tales gentes.

Cuando Windumanoth se levantó de la cama, su doncella le comunicó que el señor había partido. Había dejado una misiva para ella en manos de Aranmanoth, quien aguardaba a que ésta lo recibiera.

Una mezcla de pena por la partida de su esposo —a quien veía como un amigo en aquella tierra— y un pequeño e inconfesable alivio por hallarse libre de su presencia, se apoderó de ella sin saber si lo que sentía en aquel instante era temor o, simplemente, confusión.

Las dos muchachas dedicadas a su cuidado la bañaron, peinaron sus cabellos y la vistieron. Y mientras la acicalaban, ella miraba hacia las ventanas de sus aposentos, que daban a un hermoso huerto con un pozo en el centro. Las doncellas, que eran muy parlanchinas, le iban explicando:

—Señora, el huerto que hay más allá de estas ventanas es de tu pertenencia. Nadie puede penetrar ni hacer nada en él, ni siquiera los encargados de su cuidado, sin tu consentimiento. Claro que nosotras estamos liberadas de esta prohibición, siempre que tú lo permitas.

En aquel momento Windumanoth estaba demasiado absorta en la contemplación de algo que estallaba en el alféizar de una de sus ventanas. Así que se encogió de hombros, como si ninguna de esas cosas le importara, excepto aquella contemplación. Las doncellas se miraron la una a la otra, comprendieron que era el momento de dejarla sola y se retiraron.

Lo que llamaba la atención de Windumanoth era simplemente la luz. La luz de un otoño que hermanaba su niñez con la luz de la vendimia, allá en el Sur. Era una luz espesa, como miel, pero también invadida por un rojo encendido, como si en vez de en la mañana se hallase en el atardecer. Corrió entonces para asomarse a la ventana y vio, más allá del huerto y del pozo que se alzaba en su centro, la espesura de los bosques, su irresistible resplandor, la oscuridad luminosa de sus íntimos recintos. Los bosques de su tierra —los escasos bosques de su tierra— eran espaciados y dejaban entrar al sol libremente puesto que los claros abundaban en su interior. En cambio, aquí los árboles se enlazaban como muralla infranqueable. Y por primera vez, sintió verdadero miedo. La luz que la había atrapado hacía apenas un instante la conducía ahora a la contemplación de la oscuridad que nacía de aquellos bosques, como si anunciara la posesión de grandes y ocultos misterios en su interior. Windumanoth sentía terror de lo que sus ojos contemplaban y, más aún, de lo que imaginaba.

Abrió la puerta de su estancia y llamó a grandes voces a sus doncellas. Fue entonces cuando vio ante ella al joven Aranmanoth. Su sola presencia detuvo sus gritos y, de pronto, se sintió reconfortada.

—Ay, querido Aranmanoth —dijo intentando sonreír—. Me siento muy extraña en este lugar... Entra en mi cámara, te lo ruego, y hablemos un poco. Hablemos porque sé que traes una misiva para mí. Y porque eres mi guardián y también mi amigo.

Aranmanoth llevaba un cestillo en el brazo y parecía bastante confuso:

—Señora —dijo—, no sé si se puede definir como una misiva..., aunque yo, quizá, entienda su significado.

—¿Qué es? —se interesó entonces ella. Y se precipitó hacia el cestillo, lo abrió y de él surgió un pequeño cachorro, tan pequeño que parecía recién nacido. Con un grito de alegría lo tomó en sus brazos y le prodigó caricias. Luego lo dejó en el suelo para contemplar cómo retozaba de aquí para allá, torpe y deliciosamente, sobre sus cortas patitas.

Los dos muchachos estuvieron largo rato jugando con el cachorro, mezclando risas, comentarios y exclamaciones, hasta que la barrera de protocolos que les separaba iba desapareciendo. Y, al poco, eran sólo un niño y una niña que se divertían con un animal.

—Dime —dijo, al fin, Windumanoth sentándose en el suelo y recogiéndose los rizos que, entre juegos, se habían desparramado por su frente—, ¿de qué raza es este cachorrillo?

—Es un lobo —dijo plácidamente Aranmanoth—. Mi padre cazó a su madre que, según dicen, era de la raza más depredadora de estas tierras, pero sintió lástima de su cachorro y lo guardó para que fuera mi juguete..., en tanto no se convierta en un peligro.

Y añadió bajando la voz, en tono confidencial:

—Pero yo creo, por la experiencia que tengo en estas cosas y que a nadie, excepto a ti revelo, que si se encuentra amado y bien tratado, esa peligrosidad no llegará a manifestarse nunca. Aunque, claro está, llegado a cierta edad es más aconsejable devolverlo al bosque y a sus semejantes para que no se sienta extraño, ni él sienta extraños a cuantos le rodean.

Windumanoth abrazó al pequeño lobo, le besó las orejas, acarició sus pequeñas garras y dijo:

—Pues así lo haremos, Aranmanoth. Porque nadie que ama y es amado deberá ser apartado de su entorno. Así pues, cuando llegue el momento en que el lobo desee reunirse con los suyos, nosotros le ayudaremos en su regreso y le aplaudiremos. Pero, mientras tanto, ¿cómo le llamaremos?

Se quedaron en silencio, pensativos, buscando dentro de sí el nombre apropiado para el cachorro. Al fin decidieron que lo llamarían Aranwin, puesto que era el principio de sus dos nombres. Y Windumanoth dijo, poniéndose en pie, como quien va a comunicar algo de gran importancia:

—Desde ahora todo lo vamos a compartir porque... —y se interrumpió, pensativa—, ¿acaso no somos como hermano y hermana?

Aranmanoth no supo qué decir, permaneció callado durante un instante y finalmente dijo:

—Creo que sí: como hermanos.

Puesto que Aranmanoth no tenía hermanos, él no llegaba a comprender cuál era el íntimo significado de aquella palabra. Acaso su divina naturaleza, la mitad humana, la mitad mágica se lo impedía.

—Me gustaría conocer esta tierra —dijo Windumanoth, mirando nuevamente hacia una de las ventanas de su alcoba—. Me parece muy distinta de aquella de donde vengo. Esta mañana, cuando las doncellas me vestían, he visto una luz muy especial. Era como un resplandor que parecía que me hablara con palabras que no he llegado a comprender del todo. Podríamos salir de la casa, y ver cómo es aquí la vida.

Salieron corriendo de la estancia, cogidos de la mano, como verdaderos niños que eran, curiosos y alegres, ante un juego nuevo aún por estrenar. Y el pequeño Aranwin fue tras ellos corriendo sobre sus cortas patitas, las orejas enhiestas y los ojos brillantes.

Y de este modo les seguiría siempre, en sus juegos, en sus conversaciones y en su intimidad, cuando en invierno, junto al fuego, se confiaban uno a otro sin temor ni recelo cuanto descubrían o extrañaban. Porque eran niños todavía.

Aún no había llegado el invierno cuando, una mañana en la que el cielo y el viento parecían haberse puesto de acuerdo para envolver la tierra de misterio y de belleza, Aranmanoth y Windumanoth salieron de la casa y descendieron hasta el huerto de la niña, el que se abría bajo sus ventanas.

—No puedo entrar aquí sin tu permiso —dijo Aranmanoth.

Windumanoth sonrió, un tanto sorprendida, y dijo:

—Lo tienes desde ahora... ¿Cómo podría conocer este huerto sin ti?

Y así empujaron la verja y entraron. Era un huerto pequeño y triangular, bordeado de árboles altos y muy juntos, que parecían formar una valla. Eran árboles olorosos, de tono dorado, que el sol encendía como lámparas. Windumanoth dijo:

—¿Qué clase de árboles son éstos que nunca había visto antes?

—Son álamos —dijo él—, y suelen acompañar el curso de los ríos.

Entonces Windumanoth se dirigió hacia el pozo. Lo miró atentamente y se asomó, temerosa y curiosa a la vez, como si buscara en su interior un camino que les condujera hacia un tiempo remoto y temiera encontrarlo en la oscuridad, en aquel lejano fluir de agua que, desde el fondo de la tierra, llegaba hasta sus oídos.

Windumanoth volvió sus ojos hacia Aranmanoth que la miraba como si comprendiera cada uno de sus pensamientos, cada deseo y cada silencio, Windumanoth dijo:

—No hay flores —entre apenada y sorprendida.

—Se han retirado —dijo él—. Ya volverán.

Se sentaron junto al pozo y jugaron con Aranwin, que les mordía dulcemente, y corría y saltaba a su alrededor. Pero al cabo de un rato, Windumanoth dijo:

—Aranmanoth, llévame hasta el bosque. En mi tierra no existen bosques como los que rodean esta casa, y quiero conocerlos... Una vez fui hasta allí en tu busca, porque sabía que te encontraría. Pero sin ti no tengo valor para volver.

Aranmanoth se sorprendió, aunque también se alegró, al escuchar las palabras de la niña, y dijo:

—El bosque es como mi otra casa, y será para mí una gran alegría enseñarte todos sus secretos... —y añadió un tanto confuso—: Por lo menos, los que yo conozco.

—¿Tiene secretos? —preguntó ella asombrada.

Y Windumanoth se acordó de sus hermanas y de ella misma tras los tapices de su casa, allá en el Sur.

Como si les empujara una gran prisa por llegar a alguna parte, que no era solamente el bosque sino algún otro lugar del que aún no tenían noticia, se levantaron y montaron en sus caballos. Y regresaron al bosque.

Sobre los restos de lo que fuera otrora torre vigía, el viejo mayordomo les contemplaba ceñudo. Una sombra cruzaba sus ojos, como nube que avanza cielo adelante y se esconde entre las montañas.

Capítulo V

Entrar en el bosque era como violar un recinto desconocido, como introducirse en el interior de una casa enorme, taladrada de pasillos interminables y sorprendentes salones en busca de sus más íntimos secretos.

—¿Por qué dices que el bosque es como tu segunda casa? —preguntó Windumanoth, cada vez más curiosa.

—Porque aquí fui engendrado y aquí nací —contestó Aranmanoth.

—¿Aquí?, ¿dónde naciste exactamente?

—Ese lugar es el único al que me está prohibido acudir —dijo él. No parecía, sin embargo, ni pesaroso, ni siquiera levemente molesto ante este hecho—. Las personas adultas suelen prohibir muchas cosas.

Bajaron de sus caballos, se alejaron de ellos y les dejaron pacer a sus anchas.

—Ven, te llevaré a mi lugar favorito —dijo Aranmanoth tendiéndole la mano.

Y ambos enlazaron sus dedos y avanzaron sobre la hierba, bajo la sombra roja y dorada de las hayas. Un relámpago dentro del bosque pareció partir en dos cuanto les rodeaba. Era como si una enorme mano invisible cortase los caminos y las sendas, y les negase cualquier atisbo para encontrar un lugar por donde avanzar.

—Me parece —dijo Aranmanoth— que se nos viene encima una tormenta.

—¡Qué bien! —dijo ella—. Las tormentas en mi tierra son muy hermosas.

—Ven conmigo, ¡deprisa! —exclamó Aranmanoth atropelladamente.

Y así, cogidos de la mano, se adentraron donde la espesura apenas dejaba traspasar un rayo de luz. Respiraban fatigosamente, y sus frentes estaban inundadas de sudor.

—¿Es aquí? —preguntó Windumanoth casi en un susurro.

Habían llegado a un pequeño claro en cuyo centro había un círculo de piedras blancas. A aquella hora resplandecía como si la luz naciera de su superficie. La oscuridad era tan suave que parecía brillar, como si fuera una inmensa lámpara enterrada. Windumanoth se sintió invadida de un respetuoso temor y le asustaba romper con sus palabras aquel extraño y sobrecogedor paisaje.

—Sí, aquí es —dijo Aranmanoth.

Y de pronto ocurrió algo prodigioso: Aranmanoth pareció elevarse sobre sus pies y alcanzar una altura fuera de lo corriente. No es que se distanciara de su compañera, sino que, a su vez, ella se elevaba con él, sobre los helechos y la hierba, y también sobre las escondidas criaturas que albergaban. Desde esa altura, la contemplación del bosque era distinta: ahora podían distinguir claramente el rumor del viento azotando las ramas de los árboles, el suave movimiento de la hierba y los helechos que parecían acariciarse o hablarse con voces apenas perceptibles.

—¿Ves las hojas de los árboles? —continuó Aranmanoth—. Míralas despacio y luego cierra los ojos. Cada hoja es una palabra, y cada palabra corresponde a un color. Son palabras que no están escritas en ninguna parte, ni siquiera en los libros que guardan los monasterios. Todas las palabras juntas, todos los colores unidos, forman el arco iris. Será nuestro secreto.

Aranmanoth rodeó con sus brazos los hombros de Windumanoth, y juntos —abriendo y cerrando los ojos— fueron desvelando palabras y colores. Reconocieron el color morado de la palabra ira, y el gris del odio, o de la envidia, y el ácido limón del deseo.

—Nunca he visto un limón —dijo Aranmanoth.

—Yo sí —exclamó triunfal Windumanoth—. Yo vengo de una tierra donde los limones se exprimen y dan frescura al paladar.

De pronto, la voz de la niña se quebró como si quisiera llorar y al mismo tiempo despreciara las lágrimas. Acarició los largos cabellos de Aranmanoth y añadió:

—Deberíamos buscar un arca y guardar en ella nuestros secretos. Esos secretos que, con el tiempo, los adultos olvidan.

—No sé —dudó él—. La memoria es esa arqueta que a menudo se rompe.

—¿Tú crees?

—No sé. Quizá se pierda.

Era un momento tan mágico —el bosque resplandecía y estaban tan altos y misteriosos los árboles— que decidieron no detenerse en tales disquisiciones.

—Agáchate —murmuró suavemente Aranmanoth al oído de la niña—. Haz lo mismo que yo.

De bruces sobre la hierba, ambos pudieron oír con nitidez un dulce y acompasado galope.

—Escucha atentamente —susurraba Aranmanoth casi sin mover los labios—. Y, sobre todo, no mires hacia atrás por más que te parezca que este sonido proviene de algún lugar remoto situado a tu espalda. Está totalmente prohibido. Lo que oyes es el cabalgar de mis hermanos los elfos. ¿Oyes sus galopes entre la hierba?

Pero Windumanoth giró la cabeza y miró hacia atrás. Su insaciable curiosidad la había obligado a no respetar una de las escasas leyes del bosque, y, por un instante, sintió un temor y una inquietud que la estremecieron. Al volver su cabeza al frente, pudo ver de cerca los ojos de Aranmanoth y, por vez primera se apercibió de la largura de sus pestañas de oro, y le pareció que aleteaban tan suavemente como ocurre con algunas mariposas llegado el último momento de su vida. Nunca antes habían estado tan juntas y tan enlazadas sus palabras ni sus risas.

—Aranmanoth —dijo ella—, estoy muy tranquila,

siento mucha paz en mi corazón. Ni siquiera en mi país experimenté esta sensación.

—Yo también —contestó Aranmanoth. Pero una ligera tristeza se apoderó de su voz—. Windumanoth —dijo lentamente—, aunque pueda leer en las hojas del bosque y entender el lenguaje de los pájaros hay muchas cosas que ignoro y siempre ignoraré. Sin embargo, a partir de ahora y durante mucho tiempo, si todavía estamos juntos, podremos encontrarnos bajo la sombra que estos árboles proyectan en el suelo..., y sé que viviremos momentos muy hermosos.

Aranmanoth no dijo nada más y los niños que eran se abrazaron fuertemente, tal vez para defenderse o protegerse de algún desconocido sentimiento que, como halcón, sobrevolaba la corteza de la tierra.

Muchas fueron las ocasiones en que Aranmanoth y Windumanoth se encontraron en el bosque. Allí se sentían libres y alegres. Enlazaban sus manos y se adentraban en su espesura. Los escasos rayos de sol que se atrevían a traspasar las ramas de los árboles caían sobre ellos y les iluminaban como si los niños fueran un amanecer que creciera más allá de las montañas.

Aranmanoth instruía a Windumanoth en el lenguaje de las hojas que, ya maduras en el avanzado otoño, caían sobre sus cabezas como una lluvia de oro.

—He aprendido mucho de ti —dijo un día Windumanoth—. Creo que ya casi soy tan sabia como tú. Pero hay algo que me preocupa. Dime: ¿qué ocurrirá cuando el Señor de Lines, mi esposo, regrese de la guerra?

—No lo sé. Cuanto más creo saber, más ignorante me siento.

—Pero tú y yo no nos vamos a separar nunca, ¿verdad?

Windumanoth miraba atentamente los ojos de Aranmanoth, como si en ellos no sólo estuvieran escondidas las respuestas a sus preguntas, sino también la calma y el consuelo que sólo él podía ofrecerle.

Entonces Aranmanoth dijo:

—No nos separaremos nunca. Siempre seremos nosotros dos.

—Sí —contestó Windumanoth—. Nosotros dos.

Y todo cuanto les rodeaba y estaba en ellos era ellos dos.

El invierno llegó y un intenso frío se extendió por toda la tierra. Los bosques y campiñas, y todo lo que podía abarcar la vista, se cubrieron de nieve.

Aranmanoth y Windumanoth mantenían largas conversaciones mientras paseaban por los alrededores de la casa, cubiertos sus cuerpos con ropas y pieles que impedían que tuvieran frío. Pero lo que más les abrigaba era, sin duda, las cálidas palabras que brotaban de sus labios y que les envolvían como la capa más gruesa e impenetrable que, con manos humanas, se hubiera tejido jamás. Correteaban por el interior de la casa, jugaban como juegan los niños, se escondían detrás de los tapices hasta ser descubiertos. El pequeño Aranwin les seguía y les delataba, mordisqueaba sus ropas y saltaba de alegría cuando cualquiera de ellos le acariciaba o le perseguía por la nieve hasta caer exhausto y temblar de felicidad.

Una tarde, se encontraban los dos sentados frente al fuego, en los aposentos de Windumanoth, cuando escucharon, callados e inmóviles, las voces que se escapan del tiempo y lo atraviesan como una espada se abre paso a través de un ejército invisible. Entonces Aranmanoth dijo:

—Soy tu guardián y quiero que conozcas el sonido del silencio. ¿Puedes oírlo? Casi ninguna criatura humana puede oír el silencio. Pero para mí es algo así como si bebieras de una copa todo cuanto puede ofrecerte la felicidad.

—¿Qué es la felicidad? —preguntó Windumanoth

—No lo sé muy bien. Para mí, como te digo, la felicidad se parece al silencio.

Y así permanecieron largo rato, permitiendo que el silencio les rodeara de tal modo que era lo único que existía. Y era un silencio que les susurraba secretos y les hablaba como algunas veces lo hace el fuego o el agua de una cascada que estalla en un manantial. No era el silencio, sin embargo, lo que les unía, pero era algo parecido.

De pronto, Windumanoth se estremeció, como bajo la presencia de una duda amarga, parecida a una sombra amenazadora que crecía ante sus ojos. Miró a Aranmanoth como siempre le miraba, como si sólo él pudiera apaciguar su inquietud, y le preguntó:

—Aranmanoth, ¿tú crees que tu padre, el Señor de Lines, se acerca a mí?

—No lo sé —respondió él. Y en verdad no lo sabía.

Pero Windumanoth siguió preguntando:

—No me refiero a si se acerca con sus hombres hacia aquí: no te hablo de la guerra. Te pregunto por sus sueños, por sus deseos. ¿Tú crees que se acercan a mí?

—No lo sé —repitió él tristemente—. Sólo siento que me apenan tus preguntas.

—¿Y tu tristeza? —preguntó Windumanoth—. ¿De dónde nace tu tristeza?

—Yo no creo que pueda llamarse tristeza a cuanto llena mi corazón —respondió él—. Quizá encontremos la respuesta en las hojas de los árboles.

Porque desde la ventana podían ver las hojas agonizantes de los árboles del pequeño huerto de Windumanoth, y todavía podían dibujar alguna sombra en el suelo. Aranmanoth leyó la palabra nostalgia y dijo:

—Es una palabra nueva para mí. No la había leído antes pero, desde este momento, sé que permanecerá escrita en mi corazón. Quizá la nostalgia sea un deseo; o el resplandor de un tiempo en que creíamos ser felices.

Windumanoth enlazó su mano con la de él y dijo:

—Yo sí conocía esa palabra porque, ¿sabes?, la nostalgia no es únicamente regresar al bosque y a su hayedo, o a los colores de las palabras. Ni siquiera es el anhelo de retornar a nuestros primeros días en el otoño. La nostalgia es también el tiempo de mi infancia en el Sur, entre los viñedos y los olivos. Es el aroma del mar. ¡Ay, Aranmanoth!, tengo nostalgia del Sur. Quiero regresar al Sur.

Aranmanoth agachó levemente la cabeza tras escuchar a Windumanoth, como si no deseara seguir mirando las palabras que las hojas de los árboles dibujaban al caer:

—Cuando venga mi padre se lo diremos. Seguramente te complacerá y te permitirá regresar a tu tierra.

—Pero tú vendrás conmigo, ¿no? Quiero enseñarte todos los secretos de mi país, como tú me has enseñado los del tuyo.

Aranmanoth alzó la cabeza, miró a Windumanoth, le sonrió dulcemente y dijo:

—Pues así se lo diremos a mi padre. Él es bueno y, además, me ha nombrado tu guardián.

El invierno avanzaba. Nadie podía salir de su guarida sin sentir la crueldad que acompaña a quienes no tienen donde cobijarse.

Aunque no lo sabían, Aranmanoth y Windumanoth habían crecido. En ocasiones, ni siquiera la memoria de los humanos o su proceder se corresponden con la edad que les adjudican los manipuladores del tiempo. De este modo, ambos conservaban aún la ignorancia de su primera edad.

Una mañana, como otras veces corrieron a refugiarse, en la estancia de las mujeres que hilaban y conversaban. Pero esta vez, al verles llegar, éstas cesaron en sus conversaciones, se levantaron y se inclinaron ante ellos.

—¿Qué pasa? —preguntó Windumanoth intimidada ante tal comportamiento—. ¿Qué es lo que ocurre?

Y corrió hacia la de más edad, que siempre fue su preferida, quien más acariciaba sus cabellos y más historias contaba. En realidad, Windumanoth buscaba sin saberlo el calor de la nodriza.

La mujer se desprendió de su abrazo y exclamó:

—Señora, comportaos. Ya no sois una niña.

Desconcertados, Aranmanoth y Windumanoth, como habían hecho hasta entonces, se sentaron entre ellas frente al fuego. Pero las mujeres continuaron hilando en silencio.

Aranmanoth habló:

—¿Qué es lo que os ha convertido en mudas cuando antes erais parlanchinas y contabais fábulas y cuentos que me deleitaban? Decidme, vosotras sois las mismas mujeres de antes, y yo soy el mismo Aranmanoth. ¿Qué ha pasado?

Las mujeres se miraron unas a otras. Y al fin, la más anciana de todas ellas, la que hacía un instante había rechazado el abrazo de Windumanoth, dijo:

—Aranmanoth, Aranmanoth... ¿No te has dado cuenta del paso del tiempo?

Pero Aranmanoth no supo qué contestar.

—Está bien, queridos niños, si así lo deseáis... Sentáos aquí. Intentaremos complaceros.

Y así lo hicieron, pero al cabo de un rato, Aranmanoth y Windumanoth se dieron cuenta de que algo que no llegaban a comprender había cambiado de un modo repentino. Se miraron a los ojos y sintieron que aquellas historias ya no captaban su interés como lo hacían antes, que aquellas voces no les conducían a lugares remotos y desconocidos ni las sentían a su alrededor anunciando secretos e imposibles. En realidad, se dieron cuenta de que tan sólo tenían ojos el uno para el otro.

Cuando horas más tarde, intentaban dormir, manadas de lobos hambrientos bajaron a los poblados, aldeas y burgos. Sus aullidos llegaban hasta sus ventanas. Entonces, Windumanoth y Aranmanoth pensaban que, quizá, si pudieran estar juntos y abrazados, los lobos y el miedo se alejarían. Sin embargo, el miedo iba poco a poco tomando la forma de aquellos largos y pavorosos aullidos, e iba adueñándose de sus corazones.

Mientras tanto, el viejo mayordomo del Señor de Lines contemplaba la noche y su misterio a través de la ventana de su alcoba. Su mirada parecía perdida en el infinito, sin brillo y sin vida; eran tan sólo unos ojos cubiertos por la escarcha que se adentraban, a través de un cristal, en el silencio de la noche. Un silencio únicamente interrumpido por los aullidos de los lobos que parecían acercarse lentamente.

A la mañana siguiente, Aranmanoth y Windumanoth se levantaron muy temprano:

—Niña —dijo Aranmanoth, quien, en ocasiones, la llamaba así—, vamos al fuego de la gran sala, antes de que se levanten las sirvientas y mayordomos. De este modo, podremos conversar sin que nadie nos oiga.

Se instalaron en la sala donde, únicamente, despedían calor los restos de los grandes troncos reducidos ya a brasas. Sin embargo, para ellos eran piedras preciosas, porque sabían que muy pronto desaparecerían entre la ceniza. Acercaban las manos al calor para aventar el frío y, al fin, Windumanoth dijo:

—Aranmanoth, ¿qué ha sucedido? ¿Por qué las mujeres, que tan buenas y cariñosas se mostraban con nosotros, ahora se inclinan ante nosotros? ¿Por qué sus historias ahora no significan nada?

—Tampoco yo lo entiendo.

Una invisible serpiente parecía reptar en el pensamiento de Aranmanoth. La amenaza de que algo, o alguien, terminara enroscándose en su corazón le rondaba como un mal sueño.

—Creo que, tal vez, las historias que cuentan las mujeres ya no nos dicen nada porque hemos dejado de ser los que éramos.

Y entonces, tras las palabras de Aranmanoth, se miraron a los ojos y supieron que algo había cambiado en sus vidas: algo sutil, casi inapreciable, pero cierto.

Continuó Aranmanoth:

—Jamás pensé que pudieras convertirte en la muchacha más hermosa que vieron mis ojos.

Aranmanoth se oyó a sí mismo pronunciar estas palabras con una voz tan temblorosa que parecía esconderse entre su mismo sonido.

—Ni yo pensé jamás que algún hombre pudiera ser tan bello como tú —respondió Windumanoth con tal suavidad que parecía que aquellas palabras apenas rozaran sus oídos.

Por primera vez desde que se conocían, no se abrazaron ni se besaron con la alegría y la naturalidad de antaño. Quedaron uno frente al otro, sintiendo que una larga e inquietante pregunta aleteaba entre los dos.

Pero Aranmanoth y Windumanoth no abandonaron sus costumbres. Todas las tardes —y eran tardes que solían prolongarse hasta bien entrada la noche— se reunían con las mujeres junto al fuego. Así creían recuperar poco a poco sus consejas y sus cuentos, como un intento desesperado de recobrar un tiempo definitivamente perdido.

—Dama Erica —decía Windumanoth con su tono más persuasivo—, cuéntanos otra vez la historia de *Los dos hermanos*.

La dama se hacía de rogar, pero al final la volvía a contar. Y aquella historia de los dos hermanos perdidos en el bosque que tanto les maravillaba cuando eran niños, de pronto, les parecía carente de sentido. Y así ocurría con cuantos relatos o fábulas contaban las mujeres tras las súplicas de los muchachos. Cuanto más se esforzaban ellas en contarlas, menos atractivas, o quizá, demasiado conocidas les parecían a ellos.

Anhelaban voces nuevas, historias nuevas, sonidos y silencios nuevos, puesto que en sus mentes —y también en sus corazones— comenzaban a habitar y a crecer deseos que escapaban a su control y a su entendimiento.

Hasta que un suceso cambió la rutina diaria. Un joven de largos cabellos y ojos negros llegó a la casa una fría y oscura tarde pidiendo cobijo. El viento helado golpeaba con fuerza las ventanas de todas las estancias. Aranmanoth y Windumanoth contemplaban desde la gran sala el sorprendente brillo del bosque, a quien el duro y cruel invierno no parecía ensombrecer. De pronto se sobresaltaron, puesto que escucharon unos insistentes golpes que parecían provenir de la puerta de entrada. Las sirvientas se apresuraron a abrir y allí encontraron a un hombre joven, y muy bello a pesar de su aspecto descuidado, que suplicaba refugio ante la tormenta de nieve que se avecinaba.

El hombre llevaba un instrumento musical que nadie había visto antes en aquellas tierras. Lo colocaba en su regazo y hacía vibrar sus cuerdas con dedos tan expertos que su música despertaba lo más escondido de la piel de quienes lo escuchaban.

—¿Cómo te llamas? —le preguntó Aranmanoth cuando aquel muchacho se tomó un respiro y bebió el vaso de vino que le ofrecieron las sirvientas.

—Me llamo un nombre distinto allá donde voy —contestó tras secarse con el dorso de la mano los labios mojados en un ademán que no estaba bien visto entre los moradores de la casa.

—¿Por qué? —preguntó Windumanoth.

—Porque yo soy aquello que las gentes sueñan, o desean, o recuerdan. Por eso, allí donde voy, recibo un nombre distinto.

—¿Y aquí qué nombre traes? —le preguntaron los muchachos al unísono.

—Aún no lo sé —dijo el muchacho tras una pequeña

vacilación—. La verdad —y sonrió con ligera picardía— es que no lo sé, aunque si lo supiera no lo diría. Si os sirve de algo, os diré que podréis llamarme el poeta.

Al oír aquello, Windumanoth se levantó de su asiento y salió rápidamente de la estancia.

Aranmanoth corrió tras ella. Sujetándola por el brazo y lleno de angustia le preguntó:

—¿Qué es lo que te ha ofendido? Dímelo y lo repararé con la espada.

—No se trata de ofensas, ni de espadas —contestó ella. De pronto, sus ojos se llenaron de lágrimas—. Es un presentimiento.

Desasiéndose de su brazo Windumanoth corrió hacia su dormitorio. Y por primera vez, Aranmanoth ni siquiera intentó seguirla.

Ante la incómoda situación que se había creado, y tras descansar un rato más, el joven poeta se fue, no sin antes anunciar que regresaría en primavera.

Aranmanoth se retiró a su habitación y se tendió en el lecho. Lentamente fue repasando su vida. Aquella vida que parecía haberse sumergido en el devenir cotidiano y pacífico de su casa. Al mismo tiempo, a su memoria llegaban imágenes que le aterrorizaban al devolverle a los primeros pasos de su existencia: Eran las voces que hablaban de niños sagrados, sacrificados, salvadores... Alguien le mecía en sus brazos y, aunque se encontraba bajo una cortina de agua, tenía sed.

Capítulo VI

A escondidas, a veces, Aranmanoth jugaba a ser otro. No lograba entender muy bien de qué o de quién se ocultaba, pero aquellos juegos le resultaban placenteros y excitantes. La curiosidad despertaba lentamente en él, aunque no acertaba a definirla, ni mucho menos a satisfacerla.

Estando inmerso en estos juegos, Aranmanoth oyó un día la voz de su madre. Y pudo verla, casi transparente, en el interior de la cascada imaginada. Aquella imagen iba y venía, como su mismo recuerdo, como casi todos los recuerdos de la infancia.

—Hijo mío —murmuraba la silueta casi diluida en el agua—. Tú eres Aranmanoth, Mes de las Espigas, porque en ese mes fuiste engendrado. Y es el mismo mes en que voy a desaparecer yo. Hace muchos años cometí una grave ofensa a mi especie: amé a un hombre, una criatura humana. Un hada no puede permitirse esos caprichos. A lo largo de todo este tiempo he intentado recobrar los atributos de mi condición, pero no me ha sido posible, y el plazo de mi vida se acaba. Muy pronto te enviaré al que te engendró en mí. Espero que él se apiade de ti más de lo que los de mi especie se han apiadado de mí. Soy tu madre y bien sé que no te será fácil vivir entre dos mundos. Aún eres muy joven, casi un niño, y antes de que yo me vaya para siempre, escucha cuanto debo legarte: Aranmanoth, no ames como aman los humanos. Por tu media naturaleza será fácil que caigas en sus redes, pero no lo olvides: no ames como los humanos, hijo mío...

Ahí la voz y el recuerdo se extinguían y, con ellos, la silueta casi transparente de su madre. Aranmanoth no acababa de entender el consejo del hada, y todo en él eran dudas y preguntas a las que nadie podía responder. No conocía bien el significado de la palabra amor. La había escuchado alguna vez de los labios de las mujeres y también en las canciones de aquel poeta que pasó por su casa una tarde, pero el muchacho sólo reconocía la belleza y la emoción que parecía contener y transmitir cuando se pronunciaba. Para Aranmanoth el amor era un enorme misterio que, en aquel momento, tras las palabras de su madre, cobraba vida y se acercaba como una sombra amenazante.

El muchacho siguió recordando. Su memoria se alzaba como un jardín frondoso donde se veía a sí mismo: un niño inocente, de largos cabellos del color de la paja que se trenzaban en las puntas recordando a las espigas. Y se vio entonces conducido por un hombre desconocido, un hombre viejo con aspecto de campesino, que le llevaba de la mano hasta la misma puerta de la casa de Orso, su padre y Señor de Lines.

Y escuchó cómo el campesino le decía a Orso:

—Éste es tu hijo, engendrado en el Mes de las Espigas. Por tanto, su nombre es Aranmanoth. Éste es el niño que te va a redimir de todos tus errores, de todas tus crueldades, de todos tus olvidos.

Aranmanoth también guardaba en su memoria el momento en el que, por vez primera, vio el rostro joven y afable, casi adolescente de su padre. Era un hombre asustado a quien no acudían las palabras. La admiración y el afecto se adueñaban de Aranmanoth cuando rememoraba el tiempo en que Orso le llevaba de la mano y le relataba que él era el único fruto de un encuentro misterioso y casi intangible, como suelen ser los encuentros con los sueños y los deseos. Orso hablaba de ello como si hablara de la felicidad perdida.

Pero llegó un día en que la memoria se transformó en imaginación, y Aranmanoth casi no podía recordar aquellos tiempos. La evocación de las criaturas y las voces del bosque, las palabras de su madre, y también los susurros de las mujeres junto al fuego se precipitaban en su mente impidiéndole saber quién era y a dónde iba. Entonces recordaba, o imaginaba, a Orso, su padre, que le cogía en brazos, le besaba y le decía al oído: «Hijo mío, hijo mío...».

Tal como había prometido el poeta —aquel que tomaba su nombre según era la tierra y el momento en que la pisaba— volvió con la primavera.

Aranmanoth y Windumanoth le recibieron con gran alegría. De nuevo escucharon sus canciones acompañadas del tañer de las cuerdas de aquel extraño instrumento. El poeta hablaba del amor y del dolor que lo acompaña. Eran canciones hermosas que mantenían absortos a los muchachos, pero, como la luz de una vela que se apaga, sus miradas se ensombrecían a la vez que la canción se acercaba al final.

Un día, estando a solas con el poeta, Aranmanoth le preguntó:

—¿Qué es el corazón que, a veces, tanto duele?

—El corazón es eso que tenemos dentro y que la emprende a patadas, o simula paz, o llena de frío o calor nuestra naturaleza. El corazón, Aranmanoth, es el gran depredador.

—¿Por qué dices eso? —se inquietó Aranmanoth.

—Porque el corazón es como un lobo, un lobo hambriento.

—No entiendo lo que quieres decir —dijo el muchacho cada vez más curioso.

El poeta reía mientras sus dedos pulsaban las cuerdas, aquí y allá, sin propósito de iniciar canción alguna: aquello era un caótico desconcierto que desazonaba aún más a Aranmanoth.

—El corazón es el gran depredador —repitió el poeta con la mirada perdida en el horizonte— porque puede destruir mitos y enseñanzas aprendidas, y aun deleitosas imaginaciones... Incluso esperanzas. Es lo más importante que has heredado de tu naturaleza humana, más aún que tu capacidad de entender el lenguaje del agua, o de las aves, o las voces del silencio.

—Yo no entiendo cómo vive el corazón humano —dijo Aranmanoth—. Nadie me instruyó en él.

—Ven conmigo al bosque esta noche y te enseñaré lo que puede llegar a ser —contestó el poeta.

—Iré contigo. Te esperaré con los caballos junto al pozo a la hora que me indiques.

—A media noche estará bien —dijo el poeta—. La media noche es la hora más lúcida.

Por primera vez Aranmanoth excluyó de sus planes a Windumanoth.

Cuando se quedó solo, Aranmanoth apoyó sus manos sobre el pecho y trató de sentir su corazón. El animal que albergaba allí dentro no daba patadas, ni siquiera parecía despierto. Pensó que quizá estuviera dormido dulcemente. Y por vez primera se preguntó: «¿Querría yo ser completamente humano?». Y no supo qué contestar.

Se refugió en su cámara y, tendido en el lecho, reflexionó sobre la conversación que había mantenido con el poeta. Parecía un hombre sabio, a pesar de sus silencios y de que sus ojos oscuros se perdieran a menudo en el azul del cielo o en las encrespadas montañas. Hablaba con una voz suave y cálida, y sus palabras tenían la extraña cualidad de permanecer en el aire, dando vueltas y dibujando hermosas e inquietantes imágenes, durante mucho más tiempo que las que pronunciaban los demás. Aranmanoth sabía —desde la primera visita lo supo— que aquel hombre tenía mucho que ofrecer y que enseñar al joven confuso y perdido que era él, y por eso le buscaba cuando todos descansaban y lo encontraba en el huerto de Windumanoth acariciando las cuerdas de su extraño instrumento o susurrando melodías que parecían caer de los árboles y posarse en sus labios.

Por la ventana abierta llegaban resplandores, sutiles voces, el sonido de criaturas diminutas entre la hierba. Aranmanoth conocía el mundo de la noche, ese que despierta cuando todos, o casi todos, duermen. Se arrodilló junto a aquella ventana estrecha y alta, y contempló un trozo de cielo levemente azul que se oscurecía tan suave y rápidamente que apenas daba tiempo a retenerlo con la mirada. Alguna nube navegaba en dirección contraria a la luna y pensó que el mundo y la vida, y quizá también el animal depredador que latía en su pecho, no eran de fiar. Pensó, en suma, que algo maligno podía acechar tras el tallo de cada hoja, tras el pétalo de cada flor.

La media noche estaba muy cerca. Aranmanoth recordó las palabras del poeta: «La media noche es la hora más lúcida». Deslizó sus pisadas escaleras abajo hasta llegar al huerto de Windumanoth. Envuelto por la noche y sus sonidos, se dio cuenta de que ni ella ni él conocían los secretos de ese lugar. Habían paseado infinidad de veces entre sus plantas, incluso alguna vez se habían asomado al pozo, pero no sabían qué era lo que se ocultaba en su profundidad. En ese momento Aranmanoth tuvo la intuición de cuanto era y de su contradictorio corazón.

—¿Por qué habré elegido el pozo como lugar de encuentro? —se preguntó. El pozo se le aparecía ahora como un ojo oscuro que mirara hacia el vientre del mundo.

Y allí estaba el poeta, esperándole. Su rostro, medio oculto por la capa, no encubría el brillo de sus ojos negros:

—Ven conmigo —dijo. Y lo arrastró de la mano.

El bosque, el verdadero bosque, no era únicamente el que conocía Aranmanoth, aquel que mostrara a la pequeña Windumanoth. El bosque era otro. Era un territorio que, de improviso, se apoderaba del rumor y del olor de la más remota memoria. Era el bosque de su madre, el lugar del que él procedía: el bosque del que jamás podría desprenderse.

El poeta le llevaba de la mano, y aquella mano, de pronto, parecía arder. Aranmanoth sintió miedo:

—¿No serás tú el diablo? Yo no quiero tener ninguna relación con el diablo —murmuró tembloroso al recordar cuanto había oído hablar a las mujeres sobre aquel personaje.

—¡Qué tontería, yo soy el poeta! —rió el muchacho de los ojos negros tirando al mismo tiempo de la capa de Aranmanoth.

Aranmanoth pensó que tampoco sabía lo que era un poeta, por más que esta palabra le trajera a su mente la música y la ensoñación.

Se sentía alegre y decidido, a pesar del leve temor que le rondaba y, a veces, le invadía. Pero ese temor hacía que aquel encuentro y aquella aventura fueran aún más atractivos, así que se dejó arrastrar.

Nunca antes Aranmanoth había penetrado en el profundo y oscuro corazón del bosque. No sabía por qué razón, en sus múltiples escapadas, nunca había llegado hasta allí, y ahora contemplaba extasiado, a través de una oscuridad cada vez más reconfortante, la grandeza de los árboles y sus casi imperceptibles balanceos como si danzaran sólo para él en un secreto vaivén de bienvenida. Se preguntó cómo era posible que él, una criatura surgida del bosque, no se hubiera adentrado en su mayor y más profundo secreto: el secreto de la noche entre los árboles. Ciertamente —pensaba Aranmanoth—, nadie se lo había prohibido nunca excepto —y ahora lo descubría— su propia ignorancia. La ignorancia alza barreras, prohíbe y ciega.

El poeta le condujo hacia un claro del bosque. Y entonces algo se levantó ante los ojos de Aranmanoth, algo que parecía provenir de sus primeros recuerdos o de una memoria que, tal vez, existía desde antes de su nacimiento. Era un árbol, pero no como los demás, ni siquiera hermano de aquellos que él consideraba sabedores y poseedores de un antiguo reino. Era el Árbol, el Gran Señor del Bosque, el viejo, el antiquísimo Señor. Paciente, sabio y erguido en su ancianidad, contra y a favor de las humanas criaturas. Era el Árbol que algunos llamaban del Bien y del Mal, aquel que otros decían el Árbol de la Vida, el árbol que muchos amaban como sólo se puede amar a un viejo deseo.

El poeta le dijo entonces:

—Lo único cierto es que estás ante el Rey del Bosque..., y ¿sabes una cosa? En él anidan nuestros más oscuros sueños. Con toda sinceridad te diré que si este árbol es venerado es porque en él se depositan todos los deseos, la ira, el amor y la deseperación de los humanos. Pero también la esperanza. Y por eso verás lo que verás esta noche.

Se ocultaron entre los árboles que bordeaban el claro y, poco a poco, llegó el rumor. Al principio se trataba de un murmullo confuso que acaso podía mezclarse con el gemido del viento entre las ramas. Pero era otro susurro —pronto lo advirtió— distinto, ferozmente humano. Era un rumor con olor a carne, sudor, ignorancia y terror.

—Esta es tu parte humana, Aranmanoth —murmuró el poeta en el oído del muchacho—. Y también es la mía —añadió con tristeza.

Le arrastró hacia unos helechos cercanos al claro y allí se escondieron.

—Escucha y aprende, pardillo —dijo el poeta—, porque pronto me iré y no podré desvelarte lo que es...

Y su voz se apagó. El asombrado Aranmanoth vio cómo su guía se perdía entre las altas hierbas con la astucia y sigilo del más insignificante de los saltamontes.

El rumor iba acrecentándose y, a medida que se hacía más próximo, una multitud que, a primera vista, apenas se distinguía entre los árboles fue adueñándose del claro del bosque.

Eran hombres y mujeres, enlazados como si se amaran o acaso no pudieran, o no quisieran, desprenderse unos de otros, como si temieran lo que pudiera sucederles tras aquella separación. Pero —y esto Aranmanoth lo sintió como una revelación—no eran más que criaturas que deseaban, que solamente deseaban. Acaso algunos no sabían qué, y otros puede que sí, pero aquella extraña imagen representaba, ante los ojos de Aranmanoth, la confusión, el terror y la soledad de la especie humana. Habían llegado hasta allí deseando, nada más que deseando. Se tomaban de las manos, formaban una rueda y danzaban y danzaban alrededor del Árbol Rey.

Un escalofrío estremeció a Aranmanoth mientras contemplaba cómo todas aquellas gentes, de las que hasta el momento no tenía noticia, se alegraban o lloraban en torno al enorme y bellísimo árbol. No comprendía lo que estaba sucediendo, ni mucho menos los motivos de esa alegría que parecía ir acompañada de lágrimas, ni conocía el sentido de esa extraña e interminable danza que se había iniciado.

Pero de repente, un gran silencio llegó hasta sus oídos y, por vez primera, sintió lo que puede ser la antesala del miedo, o de la plenitud y, aunque aún era muy joven, casi un niño, tuvo miedo, casi terror, de su humana naturaleza. Una mujer joven, muy joven —acaso unos años mayor que Windumanoth—, era arrastrada por la multitud y sujetada por gruesas cuerdas a una escalera. Parecía que quisieran quemarla viva.

—¿Por qué? —se dijo a sí mismo Aranmanoth con lágrimas en los ojos—. ¿Por qué?

—Porque forma parte de tu segunda naturaleza —contestó el poeta, surgiendo de pronto de la maleza.

En aquel momento Aranmanoth deseó no haber nacido jamás. Aunque sabía que su deseo no era nada, tan sólo un deseo, pensó que, aun así, los deseos podían dar un sentido a su ambigua y extraña vida. Porque, quizá, la vida de toda criatura humana no se diferenciaba demasiado de la suya. Pero Aranmanoth no estaba seguro de ello: no estaba seguro de que sus deseos fueran realizables y tampoco del significado de cuanto le rodeaba.

Fue entonces cuando algo se alzó dentro de él. Algo como una llama que brota de una chispa y crece interminablemente hasta alcanzar lo más alto. Él mismo se vio crecido y lleno de fuego.

Salió de su escondite, avanzó decidido hacia aquellas gentes y, por primera vez, gritó con voz humana. Su grito fue tan profundo y tan largo que parecía perderse en el tiempo.

—¡Deteneos! ¡Deteneos!

El silencio se volvió a mirarle, y entonces Aranmanoth descubrió que el silencio tenía ojos con los que le observaba con curiosidad, desconcierto y, acaso, esperanza.

—Debéis dejar en libertad a esta muchacha —se oyó decir—. Por mucho que haya hecho no se merece este castigo.

De nuevo el rumor creció y el silencio fue sofocado.

—Yo soy el heredero de Lines y, en ausencia de mi padre, el Señor de Lines. Dejad a esta muchacha en paz. Desatadla y dejadla marchar. Quien la persiga o quiera hacerle daño sufrirá mi persecución.

Un voz juvenil estalló en la noche y gritó:

—¡Es Aranmanoth!

Y, enseguida, otras voces pronunciaron y repitieron su nombre.

Aranmanoth, lleno de confusión, se volvió hacia el poeta y le preguntó:

—¿Cómo saben quién soy yo?

—Eres el único hijo de Orso y todos ellos tienen noticia de ti. Los pueblos cuidan y protegen sus leyendas. ¿No lo sabías?

Entonces Aranmanoth se supo frágil y seguro a la vez. Seguro, no sabía bien por qué. Acaso la seguridad había surgido de aquel misterioso grito que anidaba en él y que le había dictado detener el sacrificio al que estaba destinada la muchacha. Se acercó al círculo de gentes y, con voz firme y pausada, dijo:

—Yo soy Aranmanoth, Mes de las Espigas, y ordeno que se deje en libertad a esta criatura.

Las gentes se apartaron a su paso en silencio, y el propio Aranmanoth se acercó a la escalera donde estaba atada la muchacha y la liberó. Estando a su lado, pudo ver de cerca sus grandes ojos claros y oír su débil y asustada voz que murmuraba:

—Gracias, hermano mío.

La muchacha se alejó rápidamente y desapareció entre los árboles con el trote suave y veloz de las jóvenes corzas.

Aranmanoth estaba desorientado. En sus oídos resonaban los gritos que nuevamente pronunciaban su nombre. Se asió del brazo del poeta y volvió a gritar:

—¿Por qué? ¿Por qué? —pero nadie parecía escuchar su pregunta. Se volvió hacia el poeta, le miró a los ojos que brillaban en la noche y repitió—. ¿Por qué? ¿Por qué?

—Yo no lo sé —contestó el poeta—. Yo soy sólo un testigo, no soy más que una voz o, quizá, un deseo. No tengo respuestas; si acaso, sólo tengo preguntas.

Tan sigilosamente como habían llegado las gentes al claro del bosque se internaron de nuevo en su profundidad. Aranmanoth y el poeta se quedaron solos frente a frente. Se miraban y en sus miradas habitaban el miedo, la desazón y cientos de preguntas que se diluían en la noche. Permanecieron en silencio mientras el Árbol Rey les contemplaba desde su misteriosa grandeza.

Al fin decidieron regresar a la mansión. Aranmanoth sintió que la casa que le esperaba tras el bosque no era su casa, no era su lugar, como tampoco lo era el mundo al que había llegado, o caído.

Entonces se acercó más al poeta y pudo escuchar su respiración en el silencio de la noche. «Él tiene una doble naturaleza... Como yo», se dijo. Y se sentó en el suelo, se cubrió la cara con las manos y empezó a llorar como no había llorado jamás. Sentía que se habían abierto las puertas que escondían a aquel prisionero depredador que el poeta le había descubierto, y Aranmanoth se reconoció en su zozobra y en su angustia.

—Llora, Aranmanoth, llora —dijo el muchacho de los ojos negros mirándole con una ternura infinita—. Si lloras ahora, tu experiencia en el bosque habrá sido lo mejor que te ha sucedido en la vida.

Aranmanoth se incorporó y le tendió la mano, no sabía si en gesto de amistad o en demanda de protección. Pero el poeta ya no estaba a su lado. Había desaparecido entre los árboles como poco antes desapareció el rumor de las gentes. Se encontró terriblemente solo, en lo más profundo del bosque, bajo las ramas del Árbol Rey, alto e inquietante, a cuyo alrededor había visto —o creído ver— una confusa multitud que primero danzaba y luego clamaba por algún cruento sacrificio que él no llegaba a comprender.

«Doble naturaleza», repitió para sí suavemente; y las dos palabras enlazaban una lejana pregunta que se perdía en el interior de su corazón.

El relincho de su caballo, su trote menudo y amigable, familiar, le reconfortaron. Allí estaba su caballo, a su lado, fiel y amigo. Aranmanoth se preguntó por qué razón entre los humanos no había conocido la amistad, que sólo en aquel animal tan bello, tan oportuno en los momentos cruciales de su vida, se le revelaba.

Montó rápido en él, le acarició el cuello, murmuró su nombre cerca de las orejas y, dulcemente, sin galopes presurosos, sin temor, el viejo amigo le condujo hacia la casa.

Pero el depredador se agazapaba en lo más escondido de su ser y martilleaba. Sólo la muerte podría detener aquel martilleo que se parecía demasiado a una advertencia.

Ya no volvió el poeta. Aranmanoth y Windumanoth lo esperaban ansiosamente, e incluso se habían arriesgado a subir a la pequeña y desmoronada torre vigía que, en tiempos de peligro, había servido de alerta ante incursiones enemigas, ya casi olvidadas. Ahora los dos muchachos subían por la estrecha y retorcida escalera y asomaban sobre las almenas su mirada esperanzada.

—¡Nadie viene! —se lamentaba Windumanoth con voz cada vez más desfallecida.

—Es verdad —respondía Aranmanoth, a medias curioso, a medias irritado—. ¡Nadie viene!

Al fin, un día, Windumanoth rompió a llorar y apoyó su cabeza de uvas negras en el hombro de Aranmanoth:

—¿Por qué no viene alguien y me devuelve al Sur?

Aranmanoth tardó unos segundos en responder:

—¿Al Sur? —preguntó con voz temblorosa.

—Sí, al Sur —repitió ella mientras, como una niña, secaba sus lágrimas con las palmas de sus manos. Aranmanoth deseó en ese momento besar aquellas lágrimas y aquellas manos. Windumanoth siguió hablando—: el Sur es mi tierra; el Sur es mi infancia...

—Windumanoth, dime cómo es. Háblame del Sur —rogó Aranmanoth.

—El Sur —dijo Windumanoth, entrecortadamente puesto que parecía tener miedo de hablar— es un lugar cálido, donde se puede correr por el borde de la arena que corona el mar. El Sur es la tierra de los viñedos, de la alegría y de la vida. El Sur, Aranmanoth, es mi vida.

Aranmanoth sintió un leve estremecimiento, como un dolor que brotaba de su más escondida memoria, y exclamó:

—Volvamos abajo.

Y así lo hicieron. Bajaron las escaleras apresuradamente hasta llegar a la puerta del torreón. Buscaron en el cielo alguna señal que les sirviera de guía y les marcara un camino, pero no la hallaron. Tan sólo las nubes parecían saber a dónde se dirigían.

Al día siguiente la casa pareció temblar desde los cimientos de la decrépita torre hasta cada una de las estancias: se anunciaba el regreso del Señor de Lines.

Desde su cámara, antes aun de que le advirtieran de su presencia y de que debía prepararse para recibirle como debía, Aranmanoth supo que su padre había regresado. Se sintió invadido por un sentimiento en el que el miedo y el afecto se mezclaban. Era un sentimiento del que no podía desprenderse, como pesadilla que acecha el sueño.

Bajó a recibirle a las puertas de la casa. Mientras se acortaba la distancia entre su padre y él, y por encima del ruido que producía la soldadesca, Aranmanoth escuchó un clamor que se acrecentaba, contenido y oculto bajo las piedras. Sólo él podía oírlo.

Entonces fue cuando Aranmanoth vio avanzar un hombre hacia él. Al principio no le reconoció: una larga cicatriz cruzaba la mitad del rostro de tal manera que la expresión de su semblante era ahora completamente distinta. Sólo los ojos, sus grandes ojos, le miraban como antaño, si bien una profunda tristeza parecía empañar la antigua luz que los hacía inolvidables.

—Aranmanoth, Aranmanoth —fueron las únicas palabras que pronunció el Señor de Lines mientras apoyaba sus manos —de pronto pesadas, casi hirientes— sobre los hombros de su hijo.

Capítulo VII

Era tan solo una cicatriz, pero para Aranmanoth fue un doloroso descubrimiento. Había algo en ella que le desvelaba la naturaleza humana, mucho más misteriosa e incomprensible de cuanto hasta entonces había creído. Aquella cicatriz dividía en dos el rostro de su padre, y las dos mitades parecían enfrentarse. Aranmanoth le amaba, y una parte de su cara le arrastraba hacia ese amor; pero también —y ahora se daba cuenta— le temía. En aquel rostro partido se leía renuncia y desesperación: acaso aquello era lo que las mujeres llamaban la tristeza. Y supo entonces que esta palabra adquiría una fuerza y un poder tan extremos que se asemejaba al que conllevan las palabras ira, miedo, o incluso odio. Al mirar a su padre se dio cuenta de que la tristeza era capaz de invadirlo todo, de permanecer suspendida en el aire y aun respirarse como se respira el olor de las cosechas, el del amanecer, o el del fuego que amenaza con arrasar y destruir cuanto halla a su paso. Ahora la mirada de su padre era también la suya, de algún modo lo era, y Aranmanoth pensó que quizá lo fuera desde el primer día de su vida, y no sólo de la suya, sino también desde el primer día de las vidas de todos aquellos que en ese momento le rodeaban. Porque Aranmanoth miró a su alrededor y encontró la tristeza en la profundidad de los ojos de todos ellos, por más que la disfrazaran con sonrisas de afecto y bienvenida.

Fue así como al abrazar a su padre, no pudo reprimir una pregunta:

—Padre, ¿por qué estás tan triste?

Orso lo apartó bruscamente, como si la pregunta de su hijo le hubiera ofendido, o incluso dolido. Y le dijo:

—Aguarda a que te llame a mi presencia.

Aranmanoth nunca había escuchado ni recibido una orden tan severa y tajante de Orso, y se retiró acongojado. En vano esperó su llamada durante todo el día. La inquietud se había apoderado de la mente del muchacho que permaneció en sus aposentos con la única compañía de Aranwin, el joven lobo que le miraba y mordía dulcemente sus ropas intentando provocar juegos y caricias. En silencio y pensativo Aranmanoth contemplaba las montañas y la belleza del bosque a través de una de las ventanas de su alcoba y se preguntaba por el origen del dolor que, en ese momento, le aprisionaba el corazón. «¿Qué es lo que ha cambiado?», se decía a sí mismo una y otra vez. Quizá la respuesta a aquella pregunta se agazapaba en las montañas dibujadas en el horizonte, o en el mismo bosque que le había dado la vida y que ahora se presentaba ante él lleno de oscuridad y de misterio. A su mente llegaron aquellas palabras que, alguna vez, en un tiempo remoto, escuchó a su madre, el hada del Manantial: «Hijo mío, no ames como aman los humanos».

Aranmanoth no llegó a recibir llamada, ni noticia alguna de su padre. Y al día siguiente supo por boca de los sirvientes que Orso había partido nuevamente hacia las tierras del Conde.

En cambio, sí recibió la llamada de Windumanoth. La encontró en su pequeño huerto, abatida y llorosa como nunca antes la viera, y rodeada por sus doncellas, que se miraban las unas a las otras, extrañadas ante la profunda tristeza de su señora. Windumanoth las despidió al ver a Aranmanoth entrar en el huerto.

Cuando estuvieron a solas ella empezó a llorar. Pero aquel no era un llanto pequeño como el que, a veces, humedece la tierra al amanecer, sino un llanto comparable sólo a la lluvia que precede a una tormenta que, durante horas, ha estado preparándose y al fin estalla.

—Aranmanoth, hermano mío, sácame de aquí —dijo entrecortadamente.

—¿Qué te ha ocurrido? —preguntó él asombrado—. ¿Quién te ha hecho daño?

—Nadie me ha hecho daño —contestó Windumanoth, tan débilmente que parecía que su voz no surgiera de la garganta sino de la brisa que, en ese momento, acariciaba su rostro.

Estaban solos, muy solos, sentados en un banco de piedra junto al pozo, en el centro del huerto de Windumanoth. Y así descubrieron que las lágrimas, algunas veces, parecen brotar, al contrario de la lluvia, del más escondido corazón de la tierra. Juntos, con las manos unidas, y asombrados ante sus propios sentimientos, se asomaban al mundo y lo contemplaban como quien contempla, por primera vez, los insondables misterios de una tormenta.

—No llores más —dijo Aranmanoth—. No puedo soportar tu tristeza.

—¿Tristeza es lo que siento? —preguntó Windumanoth, buscando los ojos azules del muchacho.

Y como cuando eran niños —y los dos se daban cuenta de que ya no lo eran— ella rodeó con sus brazos a Aranmanoth y le dijo con los labios pegados a su oído:

—Llévame al Sur, Aranmanoth, llévame al Sur.

—¿Dónde está? —preguntó él.

Windumanoth no supo contestar. Se quedó callada unos segundos y al fin dijo:

—No lo sé. Ya no sé dónde está el Sur. Pero lo recuerdo, y sé que existe.

Guiados por un mismo deseo, treparon nuevamente escaleras arriba hasta lo más alto de la torre desde donde se avistaban los confines de sus tierras. La torre no era más que la memoria ruinosa de un tiempo en que los de Lines se sabían amenazados y en peligro, una época en la que peleaban por mantener una libertad que, con el paso de los años, dejó paso al vasallaje y a la protección del Conde.

Windumanoth se alzó sobre sus pequeños pies y Aranmanoth advirtió que iba descalza y que sus pies eran pequeños y muy blancos, casi tanto como su rostro. El color natural de su piel, que Aranmanoth tan bien conocía, era a la vez rosa y dorado, como las uvas, y tenía su misma tersura de seda. Pero ahora las pestañas de Windumanoth brillaban inundadas de gotas de agua, como él sabía que amanecía la hierba antes de salir el sol. Y recordó aquel amanecer, cuando regresaba del bosque tras haber salvado con sus palabras y su decisión a la muchacha que iba a ser quemada en la hoguera; recordó cómo el bosque se teñía de colores dorados a medida que surgía el sol en el horizonte, y vio las gotas que olvida el rocío sobre la hierba y los helechos, y recordó también su propio llanto y las palabras del poeta a su lado. Y parecía regresar aquella insospechada fuerza, nunca antes conocida, que había brotado de su interior aquella noche.

—Aranmanoth, hermano mío, llévame al Sur —repitió Windumanoth.

De pronto, al escuchar la palabra «hermano» revivían en él las débiles palabras de la muchacha a la que salvó de la hoguera, y escuchó una voz que murmuraba en su interior: «Tal vez para esto has llegado hasta aquí, Aranmanoth...». Aunque no entendía cabalmente lo que esa voz le decía, ni siquiera el eco que arrastraba, lo cierto es que algo levantó su ánimo y su corazón deseaba huir de su prisión.

Y así fue como alegremente —porque la tristeza se había agazapado en algún lugar de la torre, tal vez entre las almenas vejadas por el tiempo—, Aranmanoth dijo:

—Indícame dónde está el Sur y yo te conduciré. Mientras yo viva, nadie impedirá que llegues a él.

Se acercaron aún más a las almenas y atisbaron la tierra que se extendía a su alrededor. En aquel momento Aranmanoth se dio cuenta —y ella también, puesto que lo miraba asombrada— de lo mucho que habían crecido desde la última vez que subieron a la torre. Contemplaron el mundo y sus miradas se perdían en el horizonte, deseando quizá ir más allá, más allá de cuanto habían sido sus vidas hasta aquel momento.

Un gran silencio emanaba de cuanto alcanzaban sus ojos. Era el silencio que a veces se apodera de la tierra y de las gentes que la habitan, hasta de la hierba y de las diminutas criaturas que la recorren. Era un silencio tan grande que parecía desprenderse del cielo y eternizarse o desaparecer en el parpadeo de un niño o en la irreversible soledad de la vejez y los recuerdos.

Windumanoth rompió el silencio que pareció quebrarse como el cristal. Pero no fue su voz lo que provocó el estallido, sino su brazo desnudo, que señalaba un camino confuso y oscuro. Dirigía su brazo y su mano abierta hacia algún punto remoto, más allá de los bosques que les rodeaban:

—Allí... Aranmanoth, allí está el Sur.

Una súbita alegría detuvo el temblor del miedo que antes la aprisionaba y se adueñó de los corazones de los dos muchachos que miraban extasiados hacia lo lejos, en busca del camino de sus deseos: el camino que les llevaría al Sur.

—Te doy mi palabra de guardián, y de amigo: te conduciré hasta allí —dijo Aranmanoth.

Y ninguno de los dos pensaba en aquel momento en Orso, ni en el matrimonio de Windumanoth, ni en el joven poeta de ojos negros. Ni siquiera pensaban en las mujeres que hilaban en las ruecas o en las voces y advertencias que brotaban de sus historias. Sólo eran ellos dos, de pronto libres, como si en lugar de abandonar las almenas y, corriendo, descendieran las escaleras de la torre, hubieran podido navegar sobre el aire y la luz que les empujaba.

Aquel mismo día llegaron los vencejos y las golondrinas. Todo el aire se llenó de gritos, de una alegría, quizá imperceptible para muchos, pero no para Aranmanoth. Él era capaz de comprender el lenguaje de los pájaros, y ahora el cielo se llenaba de mensajes que él recogía y descifraba naturalmente. En aquel momento, la alegría lo era todo: el olor del aire, los ruidos de la casa, la voz de los sirvientes, los aullidos de Aranwin, e incluso los humos y olores de la cocina y las risas de las campesinas que llevaban pan a los hombres que trabajaban los campos.

Todas las cosas que hasta aquel momento parecían cotidianas y vulgares se transformaban en alegría. La tristeza se ovillaba en un rincón; se agazapaba, acaso dormitaba, pero no moría. Aranmanoth se había olvidado de ella y le alegraba cada paso que daban sus pies, y de cada grito, de cada voz que percibían sus oídos, y de cada nube que, por pequeña que fuera, cruzaba el cielo.

Así, poco después, solo, silenciosamente, hurtándose de toda mirada, Aranmanoth trepó de nuevo a la torre. Asomó sus ojos hacia el mundo —o hacia lo que a él le parecía que era el mundo— y centró su mirada en aquel punto que, sobre bosques y montañas, suponía que se abría la ruta hacia el Sur.

De regreso a su cámara repasó mentalmente cuanto, a su juicio, podrían necesitar en su viaje. Necesitaban, ¿qué necesitaban? No lo sabía. Para sí mismo pocas cosas, pero ¿y para ella?

Windumanoth se sentía tan confusa y excitada como él.

—¿Qué necesitamos? —preguntó.

—Nuestras cosas —contestó Aranmanoth dubitativo—. Nuestras cosas somos nosotros dos. No necesitamos nada más.

—Bien —dijo Windumanoth—. Entonces debemos apresurarnos.

Por la abierta y estrecha ventana de la gran sala entraba ahora un frío húmedo, y la luz parecía estremecerse y estremecer cuanto iluminaba.

—Va a estallar una tormenta —dijo Windumanoth.

Y apenas pronunció estas palabras, un trueno cruzó el firmamento como un ave inmensa, y detrás, el relámpago rasgó el cielo que, hasta hacía pocos minutos, parecía tan plácidamente extendido sobre ellos.

—Tendremos que aguardar a que se aleje —dijo Aranmanoth.

Y tan bruscamente como el trueno y el relámpago habían surgido en el cielo, su alegría iba desfalleciendo, como los tallos que se doblaban bajo el azote furioso de la lluvia.

Se repitió el relámpago y, al verlo, Aranmanoth recordó la cicatriz que cruzaba el rostro —antes tan bello— de su padre y se dijo que lo partía del mismo modo que el rayo partía ahora el resplandor del cielo, antes tan apacible.

Se aproximó más a la ventana y, a través de la lluvia, vio que del cielo bajaban afiladas lanzas que se clavaban en la tierra. En ese momento descubrió al viejo mayordomo que, sin apenas expresión en la cara, les espiaba desde el huerto de Windumanoth.

Nadie podía entrar en aquel recinto sin el permiso de la muchacha y, sin embargo, Aranmanoth pudo vislumbrar el rostro casi pétreo de aquel hombre y sus ojos grises y brillantes como la escarcha que rodea los senderos invernales.

—Ahí hay alguien mirándonos —murmuró más para sí mismo que para ella.

Windumanoth asintió con la cabeza y dijo:

—Sí, ese hombre nos mira desde el día en que llegué a esta casa.

En ese momento, el trueno rodaba de nuevo de un lado a otro del cielo.

—Los bosques estarán inundados y será casi imposible atravesarlos —dijo Aranmanoth.

Una nueva inquietud se abría paso al tiempo que los relámpagos estallaban en el cielo.

—Sí —dijo ella—. Debemos esperar a que el sol luzca de nuevo.

Y sintieron un raro alivio, un ambiguo sentimiento de espera, acaso de esperanza. Lo que sí sabían, y con certeza, era que cuando al fin emprendieran el viaje, si es que la tormenta se lo permitía, deberían hacerlo a escondidas, sin dejar rastro, ni huellas. Nadie, excepto Orso, a quien inocentemente creían de su lado, podía conocer su partida.

Y así pasaron varios días, hasta que una mañana el cielo amaneció azul, como recién lavado. Una pequeña nube avanzaba lentamente hacia el lugar donde el brazo y la mano abierta de Windumanoth señalaron que estaba la ruta hacia el Sur.

—Han regresado las aves desde las tierras calientes —dijo Aranmanoth una mañana.

Windumanoth levantó los ojos y escuchó el griterío de los pájaros, y los vio cruzar el firmamento con sus negras plumas como dardos. Entonces una golondrina misteriosamente muerta cayó del cielo. Una larga y oscura gota de sangre manaba de sus alas.

Capítulo VIII

Orso regresó a las tierras de Lines en primavera, cuando el deshielo había devuelto a los arroyos su cauce habitual y el bosque despertaba de su largo silencio blanco.

Aranmanoth presintió el regreso de su padre antes de que éste pudiera ser avistado desde la torre vigía. Lo supo porque, de pronto, en su mente aparecieron inseparables, como una revelación, el miedo y el afecto: la imagen de la cicatriz partiendo en dos el rostro de Orso surgía a ráfagas y Aranmanoth deseaba intensamente volver a ver a su padre, a la vez que sabía —de algún modo lo sabía— que el reencuentro traería consigo el dolor de una nueva despedida.

El viejo mayordomo subió a la torre y sus ojos de escarcha divisaron a lo lejos las salpicaduras de barro que levantaban de entre la maleza los cascos de los caballos. En su rostro de piedra se esbozó una leve y maliciosa sonrisa al comprobar que Orso se acercaba a la casa acompañado de un nutrido y clamoroso ejército de jóvenes caballeros. El mayordomo fue a avisar a Aranmanoth y lo encontró en su aposento. El muchacho contemplaba el horizonte a través de una de sus ventanas.

—Joven señor —murmuró en los oídos de Aranmanoth—, el Señor de Lines, vuestro padre, regresa a la casa.

El mayordomo hablaba con voz apenas perceptible, como si estuviera desvelando un secreto inconfesable en lugar de comunicar una buena noticia. Aranmanoth se volvió hacia él y pudo ver de cerca su mirada inexpresiva, los ojos pequeños y brillantes y aquella extraña sonrisa en los labios que parecía más una advertencia.

Aranmanoth bajó corriendo a recibir a su padre. Cuando llegó a la puerta de la casa, los ladridos de los perros y el griterío de los hombres se habían adueñado del recinto. Los sirvientes corrían al encuentro de los caballeros y se hacían cargo de sus monturas. La alegría del regreso se respiraba en el aire limpio de aquella mañana. Parecía que fuera la primera vez que Aranmanoth viera u oyera la alegría de un reencuentro, como si todo se le presentara ahora de un modo distinto o se revelara ante sus ojos con un significado que no llegaba a descifrar, pero que, en cierto modo, le atemorizaba.

Orso descendió de su montura y se acercó a su hijo con los brazos extendidos. Aranmanoth recuperó en aquel momento el calor y la luz de su niñez, y revivió en su memoria la imagen de su padre yendo hacia él con los mismos brazos extendidos, sus palabras cálidas, sus enseñanzas y su afecto. Todo resurgía y Aranmanoth sintió que aquél era un auténtico regreso, puesto que no solamente Orso volvía a la casa, sino que también él volvía a ser el mismo Aranmanoth al que le estaba permitido amar a su padre libremente, sin severas restricciones de comportamiento.

Verdaderamente, el Señor de Lines aparecía en esta ocasión sonriente y alegre, pero su alegría no era del todo limpia. Una sombra de desasosiego cruzaba su rostro al igual que la cicatriz. Había algo excesivo en sus gestos, en su risa y en su voz, algo que le alejaba del Orso que siempre había sido y lo convertía en un hombre distinto.

Cuando Aranmanoth se acercó a su padre para recibir el acostumbrado beso de bienvenida, percibió el aroma de los viejos vinos, y presintió que la alegría de Orso nacía de ellos, de su perfume. Aquél era el perfume del Sur, el mismo que surgía de los cabellos de Windumanoth, el que en ocasiones inundaba el aire hasta introducirse en los rincones más ocultos para iluminarlos y llenarlos con la risa de la juventud.

Aranmanoth no supo qué decir tras el cálido abrazo de su padre. Se sentía desconcertado y las palabras no llegaban hasta él. Sólo al cabo de unos segundos, acercándose al oído de Orso, murmuró:

—Padre, te amo...

Pero en contra de lo que esperaba, la sonrisa de Orso desapareció y Aranmanoth pudo ver con claridad que la cicatriz de su padre era aún más profunda de lo que suponía. La tristeza invadía ahora su rostro partido, y el desconcierto volvió a adueñarse del muchacho, que bajó la cabeza asustado ante la extraña reacción de su padre. «¿Por qué?», se preguntó a sí mismo. Y recordó al poeta y sus inquietantes palabras: «El corazón es como un lobo hambriento. El corazón es un depredador».

Al momento Orso se retiró a su cámara.

Y aquella noche llamó a Windumanoth a sus aposentos.

Al amanecer, Orso y su ejército de caballeros partieron nuevamente. Un cortejo de ladridos que se perdía más allá de los bosques fue lo único que aparentemente quedó de la breve estancia del Señor de Lines en sus dominios. Fueron los ladridos los que despertaron a Aranmanoth de su sueño.

Se sentó en el borde de su lecho y, aún adormilado, escuchó el galope de los caballos que se alejaban. Su corazón latía con tanta fuerza que Aranmanoth palpó su pecho y sintió que aquellos golpes le enviaban señales o avisos de algo que no alcanzaba a reconocer. Eran la ira, la rabia, y en cierto modo también el miedo. Tales sentimientos le obligaron a vestirse velozmente y a correr a la cámara de Windumanoth olvidando prohibiciones y protocolos.

Llamó suavemente a su puerta hasta que una doncella somnolienta le recibió en el umbral:

—La señora duerme —murmuró.

Aranmanoth creyó percibir un lejano rumor de lágrimas que le recordó al del rocío sobre la hierba. Entonces miró directamente al rostro de la doncella, y le dijo:

—Dile a tu señora, cuando despierte, que Aranmanoth está aquí esperándola.

Poco después Windumanoth le hizo pasar. Estaba sentada en el lecho, y miraba acercarse a Aranmanoth, como si le suplicara algún perdón que pudiera devolverla a sí misma. Su larga y blanquísima camisa dejaba ver sus pies, aún de niña, sobre los que resbalaba una oscura gota de sangre. Y los dos recordaron al mismo tiempo a la golondrina muerta que, con sangre en una de sus alas, cayó del cielo.

—Aranmanoth, sácame de aquí —murmuró Windumanoth.

—Esta noche —dijo él—. Cuando nadie nos vea, ni espíe nuestros pasos, ni pueda llenar de piedras nuestro camino.

Aranmanoth aguardaba con los caballos ensillados junto al huerto. El silencio de la noche y su inconfundible aroma le permitieron repasar en su memoria todo lo que había sucedido desde la llegada a la casa de aquella niña que se había convertido, con el paso del tiempo, en la razón más profunda de su vida. Recordó los largos paseos por el bosque, las conversaciones que tantas veces habían mantenido en ese mismo lugar del que ahora se despedían. Volvía a ver las hojas de los árboles y las palabras que de ellas brotaban. También se veía a sí mismo mirando más allá del horizonte, y la mano de Windumanoth extendida señalando el camino hacia el Sur. La inquietud, la prisa y el temor de que alguien pudiera impedir su marcha confundían sus recuerdos. Incluso los de su más lejana infancia se enredaban unos con otros. Y vio a Orso nombrándole guardián de su jovencísima esposa, la cicatriz que le cruzaba el rostro y le recordó alejándose de él bruscamente, negando su afecto y huyendo de su mirada asombrada.

Aranmanoth estaba impaciente, y al fin apareció Windumanoth, bien entrada la noche. Ella llegaba con todo el perfume de los viñedos que él no conocía pero que imaginaba incesantemente. Imaginaba su olor, su dulzura, incluso su color. No tenía más que cerrar los ojos y respirar profundamente para que las tierras del Sur llegaran hasta él con toda la frescura y la belleza que contenían. En las palabras de Windumanoth el Sur era un deseo, un sueño que había ido alimentándose de sus fantasías y que le esperaba más allá de los bosques y las montañas, más allá de todo lo que hasta aquel momento había conocido.

Pero la tristeza también se respiraba en la noche. Windumanoth llevaba consigo, en su caminar por el pequeño sendero que conducía al huerto, la dolorida tristeza de una niña que se ha visto obligada a poner fin a un largo y maravilloso juego, y que, perdida en el interior de la noche, despierta y desea escapar. El miedo dejaba paso a un poderoso sentimiento de libertad y de esperanza que reclamaba su derecho a existir y a guiar sus pasos en busca de sus más íntimos deseos.

Y de este modo, los dos comprendieron que, definitivamente, estaban a punto de dejar atrás la infancia que les había unido.

Capítulo IX

A pesar de los intentos de Aranmanoth por mantener sujeto al caballo de Windumanoth, éste consiguió huir. Los dos muchachos se miraron extrañados:

—¿Por qué habrá escapado? —preguntó Windumanoth.

Pero el silencio fue la única respuesta que escucharon. La noche se abría sobre ellos, inmensa, con todo el eco de palabras muy antiguas, siempre repetidas. Acaso el eco de los sueños, o deseos, de seres muy remotos, o quizá aún por nacer. La noche era su guardián cuando la tierra calla.

—Vámonos, vámonos —se impacientaba Windumanoth. Llevaba una capa oscura bordeada de piel que, a pesar de su grosor, no impedía que todo su cuerpo temblara.

—¿Por qué tiemblas ahora que el invierno se ha alejado? —le preguntó Aranmanoth mientras la ayudaba a montar en su caballo.

—No tiemblo —dijo ella intentando dibujar una sonrisa.

—Podemos ir en busca de tu caballo siguiendo sus huellas. No andará muy lejos —dijo Aranmanoth.

—No lo hagas —dijo ella con decisión—. No deseo nada, ni a nadie, que huya de mí.

Aranmanoth no intentó persuadirla. Ella se abrazó a su cintura y los dos juntos, en el mismo caballo, se adentraron en la inmensa y quieta noche que —eso les parecía— les observaba expectante.

Abrazándose aún más a él, Windumanoth preguntó:

—Aranmanoth, dime, ¿crees que alguien nos mira?

Él no lo sabía, o no estaba seguro de lo que debía responder, y prefirió guardar silencio.

Y así avanzaron entre la maleza hasta que llegaron a la entrada del bosque que parecía estar esperándoles.

—Siempre oí decir —dijo Windumanoth—, allá en el Sur, cuando me hablaban de los bosques y de aquellos que se perdían en su espesura, que una pequeña y lejana luz aparecía cuando menos se esperaba. La luz provenía de alguna casa en la que siempre había gentes que les acogían.

Windumanoth se guardó de añadir: «o les devoraban». Prefirió callarlo en parte porque ya no era tan niña para creer en esas historias, pero también porque, de haberlo dicho, se habría asustado más de lo que estaba dispuesta a soportar.

—Mira —dijo Aranmanoth—, parece que alguien te ha escuchado. Distingo a lo lejos, entre aquellos árboles, una luz.

Y fueron hacia ella hasta que se dieron cuenta de que se trataba, simplemente, de la luz de una luciérnaga.

Muchas fueron las luciérnagas que encontraron en su camino a través del bosque, y muchas las veces que las confundieron con las luces de alguna casa habitada.

De todos modos, la primavera hacía que las noches fueran verdaderamente hermosas, y cuando se refugiaban, a falta de mejor cobijo, bajo las ramas de un viejo roble o al amparo de una cueva, junto a un riachuelo donde podían beber y bañarse, se daban cuenta de que el viaje les resultaba placentero a pesar de los contratiempos.

En alguna ocasión sí que dieron con alguna choza habitada donde poder pasar la noche. Y siempre había alguien —algún niño, o alguna anciana— que les preguntaba con verdadero interés por su viaje y sus orígenes.

—Vamos en busca del Sur —decían.

Entonces, narraban su historia y todos se quedaban asombrados al escucharla. Comprobaban la fuerza que puede llegar a contener un deseo, por más que éste parezca imposible.

—¿Cómo es el Sur? —preguntó alguna vez un niño que temblaba de curiosidad al oír sus palabras.

Y entonces Windumanoth hablaba del frescor de los árboles frutales, del azul intenso del mar, de la alegría de las gentes que habitaban aquellas tierras y de sus risas. También hablaba de la esperanza. Una esperanza que en realidad era la suya, su deseo de regresar a un tiempo que se le presentaba lleno de sueños posibles y alejado de todos los temores que había conocido en las tierras de Lines.

Quizá fuera por eso por lo que en todas las casas habitadas que encontraron en el bosque, Aranmanoth y Windumanoth hallaron cobijo y alimento. Descubrieron lo que es la generosidad de las gentes sencillas, su nobleza y su curiosidad, y éstas se prendaban de la belleza de los dos muchachos, y sobre todo, de sus palabras. Al amanecer, cuando reanudaban su marcha, les despedían con la esperanza de volver a verles algún día, cuando sus deseos se hubieran realizado.

—Encontraréis lo que vais buscando —les dijo una vez una anciana mientras se preparaban para partir—. Pero tened cuidado. Protegeos de vuestros deseos.

Aranmanoth se sobrecogió al escuchar las palabras de la vieja:

—¿Por qué dices eso? —preguntó.

Pero ella no respondió. Aranmanoth y Windumanoth montaron en el caballo y prosiguieron su camino.

Y fueron muchos los bosques que atravesaron y dejaron atrás.

—Hacia allá —decía Windumanoth extendiendo su brazo—. Hacia allá está el Sur. Aranmanoth, atravesemos ese bosque porque tras él se encuentra el Sur.

Y a cada paso que daban les parecía oír la brisa del Sur. Respiraban profundamente y creían percibir el olor de los viñedos y, quizá, del mar. Y así, bosque tras bosque y colina tras colina, Aranmanoth y Windumanoth se sentían cada vez más cerca de lo que andaban buscando y que parecía escapar ante sus ojos, como si lo tuvieran al alcance de su mano y no pudieran, o no supieran, apresarlo.

En la mente de Windumanoth los recuerdos se confundían con sus deseos. Se abrazaba con fuerza a la cintura de Aranmanoth y, apoyando suavemente su mejilla en la espalda del muchacho, dejaba escapar alguna lágrima que nadie, excepto ella, percibía. Eran las lágrimas que provocan los sueños cuando éstos vienen y van como si el mar los empujara y los hiciera chocar contra las rocas de un acantilado. Windumanoth lloraba por la emoción cuando recordaba la mirada de su padre o los juegos con que la entretenían sus hermanas. Anhelaba la pureza y la libertad de su infancia en el Sur, y temblaba ante la posibilidad de recuperar aquel tiempo que —eso creía— la esperaba al otro lado de un bosque, de una colina, o de una encrespada montaña.

Habían llegado a una amplia y abierta explanada cuando, a lo lejos, vieron a un campesino arando la tierra. Fueron hacia él y, sin bajarse del caballo, Windumanoth le preguntó:

—¿Qué tierras son éstas?, ¿dónde nos encontramos?

El hombre les miró extrañado y tardó unos segundos en contestar:

—Estáis en las tierras de Nores —dijo al fin.

Y como un relámpago en la noche, los ojos de Windumanoth se iluminaron.

—Aranmanoth, ¿has oído lo que ese hombre ha dicho? Mi hermana Liliana, mi querida hermana Liliana, debe de estar cerca de este lugar. Y donde esté ella, estará el Sur.

—¿Dónde está la casa del conde de Nores? —preguntó Aranmanoth—. ¿Qué camino hemos de seguir?

Pero el campesino se encogió ligeramente de hombros y dijo:

—Tampoco yo soy de estas tierras. Pero creo que el conde vive más allá de esa colina. Preguntad allí.

Aranmanoth y Windumanoth miraron en la dirección que el hombre señalaba con su mano, se despidieron de él y, al galope, se dirigieron hacia aquella colina que les aguardaba inmóvil y expectante.

Al otro lado encontraron un frondoso bosque que nada se parecía a los bosques que Windumanoth recordaba en el Sur. Pero se adentraron en él con la esperanza de que, quizá en su interior, o cuando lo atravesaran, encontrarían algo, o alguien, que les indicara la dirección que debían seguir.

Y así fueron preguntando a todos aquellos que pudieran saber dónde vivía Liliana, y algunos les señalaban un camino, otros se encogían de hombros y guardaban silencio. Pero ellos avanzaban y cruzaban colinas y riachuelos obedeciendo más a su propia intuición que a lo que aquellas gentes les decían.

La primavera se alejaba y el verano se iba apoderando de cuantas tierras pisaban. Sólo los bosques umbríos —a veces cómplices y a veces enemigos— mantenían una misteriosa oscuridad que, a medida que pasaban los días, se les antojaba más amigable.

—Qué reconfortante es alcanzar la sombra —decían a veces. Y descendían de su montura para refrescar sus rostros y sus pies en el agua. La oscuridad, inesperadamente, resplandecía tanto o más que el sol.

—Ya casi estamos en el Sur —decía Windumanoth hundiendo sus pies en un arroyo.

Aranmanoth veía sus rostros reflejados en el agua cristalina del riachuelo, y comprendía perfectamente las palabras de Windumanoth. Sabía que el Sur estaba muy cerca, por más que desconocieran hacia dónde debían dirigir sus pasos para encontrarlo.

Y fue entonces cuando una anciana que iba recogiendo moras silvestres les preguntó:

—¿A dónde vais?

—Estamos buscando el castillo de Liliana —respondieron ellos.

La mujer sonrió levemente y les invitó a comer moras con ella. Al reencontrar el gusto ácido de las moras, Windumanoth empezó a llorar en silencio. Tan sólo el brillo que resbalaba por sus mejillas podía delatarla. Comía mora tras mora, disfrutando de su sabor. Entonces la anciana se volvió hacia ella y dijo:

—No llores, niña. Los jóvenes no deben llorar. Ya llegará el tiempo de las lágrimas. Ahora debes alegrarte de tu juventud.

Windumanoth secó sus lágrimas con el dorso de la mano y dijo:

—Ya que sabes tantas cosas, ¿podrías decirnos dónde habita mi hermana Liliana?

La vieja volvió a sonreír, se llevó una mora a la boca, y al fin dijo:

—El castillo del conde de Nores se encuentra al otro lado de este bosque. Allí encontraréis a Liliana.

Y siguiendo las indicaciones de la anciana, tras dos días de camino por el interior de un bosque que les pareció interminable, al fin llegaron al castillo.

Cuando Windumanoth se halló ante su hermana, le resultó difícil reconocerla. Se encontraba ante su hermana mayor, aquella que la llevaba a atisbar tras los tapices de su casa el comportamiento de los hombres y, sin embargo, le pareció que se hallaba ante una mujer distinta, alguien que en absoluto se correspondía con la imagen que de ella guardaba Windumanoth.

Liliana se había convertido en un mujer robusta y, aunque conservaba su sonrisa abierta y su cálido abrazo, había perdido algo que Windumanoth no atinaba a descubrir. Era algo que habitaba en su rostro, en sus gestos y en su forma de mover las manos. Ahora hablaba sin el menor rastro de ternura en su voz, y su mirada, o bien huía de la de su hermana pequeña, o bien se ocultaba bajo los párpados.

Cuando estuvieron a solas Liliana preguntó:

—¿Quién es ese muchacho que viene contigo?

—Hermana, es el futuro Señor de Lines... Es mi guardián y mi protector.

Liliana la miró con una cierta sorpresa:

—Y eso, ¿qué significa?

Windumanoth no supo qué contestar, pero al fin, tras unos segundos de confusión, dijo:

—Es mi guardián... Y mi amigo.

Esta última palabra surgió de sus labios sin que apenas se diese cuenta, y adquirió una fuerza insospechada.

—Bien... Bien —dijo Liliana lentamente—. Veremos...

Windumanoth no comprendió lo que quiso decir con aquellas palabras. La inquietud regresó, y también la sospecha —casi una certeza— de que su hermana había dejado de ser, para siempre, la que ella recordaba.

—¿Adónde os dirigís? —preguntó Liliana. Pero en su voz no había curiosidad. A Windumanoth le pareció más una amenaza, y dudó al contestar:

—Vamos hacia el Sur —dijo suavemente, intentando disimular el temor que las palabras de su hermana le causaban.

—¿El Sur? Pero niña, ¿de qué estás hablando? —exclamó Liliana a la vez que soltaba una carcajada que resultó amarga y llena de decepción—. Querida niña, el Sur quedó atrás, ya no vivimos allí... Esto no es el Sur. Regresa allí donde te llevaron, y olvídate de esa ilusión.

Windumanoth contempló el rostro de Liliana y le pareció que era la primera vez que lo veía. Era un rostro espeso, quizá bello. Pero la hermosura que se intuía en aquellos rasgos era la belleza que deja el recuerdo. Únicamente conservaba el fugaz resplandor de su sonrisa, y Windumanoth pensó que acaso aquella sonrisa sería lo único que podría salvarla del paso del tiempo.

Fue en busca de Aranmanoth, y le dijo:

—Nos hemos equivocado; esto no es el Sur. Lo han perdido, vámonos de aquí...

Y, como si hubieran cometido un delito, huyeron al caer la noche.

Avanzaban o, quizá, retrocedían. Ellos no lo sabían, ni se daban cuenta de que, a menudo, se encontraban en el mismo lugar por el que días antes habían pasado.

El caballo desfallecía y, con su paso lento y fatigado, les pedía unas horas de descanso bajo la sombra de algún árbol. Ellos le acariciaban y decidían pasar la noche en el interior de algún bosque, bajo las hayas, o en alguna choza habitada por campesinos que tenían a bien acogerles.

Y fueran donde fueran, ellos siempre preguntaban por el camino que conducía al Sur.

Una noche, un anciano pastor que les dio cobijo les dijo:

—¿De qué Sur habláis? Hay muchos lugares llamados así. Todo depende del lugar donde uno se encuentre.

Pero ellos no desistieron en su búsqueda y continuaron su camino.

Windumanoth seguía recordando, o imaginando, el Sur, convencida de que pronto lo encontrarían:

—Aranmanoth, no debemos hacer caso de lo que la gente nos dice. Estamos cerca. Yo sé que estamos cerca...

Una calurosa mañana en la que las fuerzas parecían abandonarles, Windumanoth recordó a su hermana Sira.

—Mi padre decidió enviarla al monasterio de las Damas Grises —le contaba a Aranmanoth—. Sira era una muchacha extraña. No era bella, pero conocía historias verdaderamente hermosas. Solía pasarse las horas encerrada en su alcoba rodeada de libros. Decía que en ellos se hallaban todos los misterios del mundo, los más maravillosos, y también las respuestas a todas las preguntas. Supongo que por eso mi padre decidió recluirla en un monasterio.

Entonces, Windumanoth pensó que quizá Sira podría ayudarles a encontrar el Sur, y exclamó:

—¡Aranmanoth, vayamos en busca de mi hermana Sira!

Y así lo hicieron. Preguntaron a cuantos encontraron por el monasterio de las Damas Grises, y se sorprendieron al comprobar que Sira se había convertido en una mujer muy conocida en aquellas tierras. Era la abadesa del convento y tenía fama de ser una mujer sabia.

Se encontraban ya muy cerca del monasterio cuando Windumanoth comenzó a reconocer aquel paisaje. Las suaves colinas y los viñedos con que de vez en cuando se tropezaban trajeron a su memoria el aroma y el viento cálido de sus primeros años. Vieron un molino a lo lejos, y gentes que labraban la tierra y que levantaban la cabeza al verlos pasar, extrañados y maravillados ante la belleza de aquellos dos jóvenes. Sus ropas, aunque deterioradas, despertaban en quienes las veían curiosidad y un cierto recelo, y quizá por eso no dejaban de mirarles hasta que los muchachos se perdían más allá de donde alcanzaban sus ojos. «¿Quiénes serán?», se preguntaban. «Deben de venir desde muy lejos», decían mientras buscaban en el horizonte la respuesta a sus preguntas y sospechas. Sólo encontraban los rayos del sol cegándoles y obligándoles a agachar la cabeza.

Cuando llegaron al monasterio, descubrieron lo difícil que es acceder y acercarse a las personas que tienen poder. Windumanoth se presentó como la hermana pequeña de la abadesa, y Aranmanoth como su caballero, pero tuvieron que esperar durante varias horas antes de que Sira les recibiera.

Al fin, la abadesa ordenó pasar a Windumanoth. La esperaba con los brazos abiertos, como hiciera también Liliana, pero inmediatamente Windumanoth se dio cuenta de que tampoco ahora encontraba el cariño y la ternura que ella recordaba. De todos modos eran unos brazos abiertos y fue hacia ellos empujada por un deseo de cobijo y, quizá, de comprensión.

—Hermana —murmuró—, vengo a ti en busca...

Y se interrumpió inesperadamente porque de pronto la palabra «Sur» le parecía una palabra prohibida, proscrita, como si no fuera posible pronunciarla sin sentirse culpable y humillada.

—Sea lo que sea lo que andas buscando, yo te ayudaré a encontrarlo —dijo firmemente la abadesa.

Windumanoth supo entonces que aquella mujer

fuerte y segura que le hablaba no se parecía en nada a su hermana Sira. Ella la recordaba saliendo de su alcoba con los ojos encendidos tras la lectura de algún libro antiguo y misterioso. Sin embargo ya no era la joven que la aleccionaba y aconsejaba cuando Windumanoth tenía miedo de la oscuridad, o quien le contaba interminables historias y le describía paisajes desconocidos en los que ocurrían las más increíbles aventuras. Era la abadesa quien hablaba, una mujer de pocas y firmes palabras, acostumbrada a mandar y a decidir, una mujer solitaria que había aprendido a protegerse de la ternura y el afecto guardándolos en algún lugar de sí misma hasta hacerlos desaparecer.

—Estamos buscando el Sur —dijo Windumanoth temerosa de la respuesta que comenzaba a intuir.

Entonces Sira miró a su hermana pequeña con tristeza y dijo:

—El Sur no existe.

Y Windumanoth sintió que el mundo se desplomaba sobre ella, o al menos la parte del mundo que verdaderamente le importaba, y sólo llegó a murmurar:

—¿Por qué?

—Yo no lo sé. Lo único que puedo decirte es que eso que tú llamas el Sur no es una realidad. Y tampoco lo son tus sueños ni tus recuerdos. La vida, querida hermana, no es más que una trampa.

Windumanoth vio que una lágrima petrificada luchaba por escapar de los ojos de su hermana. Era una lágrima brillante, como de cristal, que debió de brotar de sus más escondidos sentimientos y que se deslizaba lentamente por una de sus mejillas.

—Vete de aquí, querida niña, vuelve al lugar de donde vienes y deja de buscar imposibles.

Windumanoth se reunió con Aranmanoth que la esperaba impaciente en el exterior del monasterio.

—Salgamos de aquí. Sira tampoco conoce el camino que hemos de seguir —dijo.

Y sus palabras iban cargadas de tanta tristeza y decepción que Aranmanoth no se atrevió a preguntar nada más. La ayudó a montar en el caballo y se alejaron de aquel lugar sin que nadie les despidiera ni les viera partir. Únicamente el sol, que comenzaba a ocultarse en el horizonte, les vio proseguir su camino.

Capítulo X

Desde el día en que abandonaron el monasterio de las Damas Grises, Aranmanoth supo lo que era la desolación. Avanzaban por tierras desconocidas que nada tenían que ver con lo que buscaban y esperaban encontrar en el Sur y, en silencio, escuchaba el llanto de Windumanoth sobre sus hombros.

—No llores —le dijo una vez tras detenerse junto a un arroyo—. Windumanoth, no llores, encontraremos lo que buscamos. Estamos cerca, muy cerca...

Estaban sentados junto al arroyo y se miraron en él. En aquel momento vieron a dos criaturas que, sin ser completamente desconocidas, eran diferentes a cuanto creían ser. Tanto se sorprendieron que, inmediatamente y los dos a la vez, apartaron sus ojos del río y miraron a su alrededor. Entonces se dieron cuenta de que todo se había transformado. La luz que se filtraba a través de los árboles era diferente y les iluminaba con una intensidad desconocida.

Y fue entonces cuando Aranmanoth oyó el rumor de una cascada.

La cascada le llamaba con palabras que sólo él podía comprender. En aquel instante sintió que todo su cuerpo tembló. Tenía ganas de reír y de llorar a un tiempo, y se supo arrastrado por aquella voz nacida del agua.

—Vayamos al manantial —dijo Aranmanoth agarrando de la mano a Windumanoth.

Y corrieron hacia la pequeña cascada con todo el entusiasmo de quienes intuyen que la felicidad está cerca, más de lo que jamás hubieran imaginado.

Hacía tanto calor que, sin apenas darse cuenta, se fueron desnudando. Y así, el uno frente al otro, con las manos unidas, se adentraron en la cascada. Se abrazaron bajo el torrente luminoso del agua y descubrieron cuán hermoso y placentero puede llegar a ser un cuerpo amado cuando se acaricia. Conocieron lo que es y será, por los siglos de los siglos, el encuentro con la vida, por más que dicho encuentro tenga lugar en un único y fugaz instante. Lo que les estaba ocurriendo, bajo la luz y el agua, era como el bosque, como el viento que arrancaba voces de la hierba y, en definitiva, como ellos mismos.

Cuando salieron de la cascada se vieron reflejados en las aguas del manantial y se dieron cuenta de que toda la luz del sol caía sobre sus cuerpos. Ellos no lo sabían, pero lo que les había sucedido era la repetición de aquel día, lejano pero inolvidable, en que el joven Orso, el actual Señor de Lines, se encontró con el hada del manantial.

Aranmanoth y Windumanoth salieron del agua y se contemplaron el uno al otro como si se vieran por vez primera. Había tanta alegría en ellos que apenas podían contener la risa. Por sus cuerpos resbalaban las gotas de agua, y se detenían en sus pestañas, en el vello, y en el borde de sus largos cabellos, ahora convertidos en una masa espesa. De ellos caían diminutas cascadas que se deslizaban por sus hombros.

Y entonces se tendieron en la hierba, el uno en brazos del otro, y de nuevo se encontraron y sintieron que se conocían, o se reconocían, desde un tiempo tan remoto como nuevo, tan dilatado como fugaz. Rodaron suavemente enlazados, sus labios y sus cuerpos tan unidos que parecía que nunca podrían separarse.

Fue así como descubrieron el profundo significado de aquella palabra que tantas veces habían escuchado en la voz del muchacho de los ojos negros, en sus canciones, y en las historias que contaban las mujeres junto al fuego. Y aunque parecía una palabra mágica que despertaba en su piel y en su más remota memoria, sin embargo era la palabra más simple y poderosa; la única capaz de distinguir a las criaturas humanas de las que no lo son.

El espléndido verano se mecía en los trigales, y el sol se apoderaba de la tierra y de todas sus criaturas. Todo parecía arder, desde las más diminutas hierbas o flores silvestres a las copas de los árboles que se alzaban como lanzas apuntando al firmamento. Aquel grandísimo sol que se presentaba como el rey del cielo y de la tierra borraba el recuerdo de la primavera, del otoño y del invierno. Tan sólo existía el verano, avasallador y depredador como el corazón. Pero en aquel momento ellos no recordaban las palabras del poeta, como tampoco recordaban que el mundo y las gentes existían, invadidas a veces de temor, de inquietud o de esperanza. Ignoraban que el mundo es siempre el mismo, que no conoce treguas ni olvidos, que nunca deja de rodar y de mostrar su cruel indiferencia hacia la felicidad que ellos acababan de descubrir.

Aranmanoth y Windumanoth habían dejado de buscar el Sur. Los dos sabían que el Sur estaba en ellos, y no fue necesario decirlo, puesto que la certeza de haber encontrado, al fin, lo que durante tanto tiempo habían buscado y deseado se mostraba ante ellos con la misma rabiosa luminosidad que emana del sol cuando está en su punto más alto.

Pero un día llegó el trueno.

Y se dieron cuenta de que no era el trueno de las tormentas infantiles. Ya no era el trueno que llenaba el cielo de su infancia de un vértigo blanco, ni el que les hacía temblar de temor ante lo desconocido. El trueno que llegaba venía de las gentes, de las mismas gentes que, hasta aquel momento, les habían ofrecido hospitalidad, alimento y cobijo. Era un trueno cargado de dolor, de miseria y sufrimiento. Era un trueno humano.

Capítulo XI

El valle por el que habían deambulado durante todos aquellos días, de alquería en alquería, de choza en choza, había desaparecido repentinamente, como si nunca hubiera existido. En su lugar aparecían destrozos, restos de fuego y miseria. Aranmanoth y Windumanoth contemplaban atónitos aquel desolado paisaje. La vida, la espléndida y dorada revelación de la vida que hasta aquel momento había supuesto el valle, su cascada y sus gentes, se había transformado de pronto en cenizas, llanto y, sobre todo, destrucción. Los dos se daban cuenta de que nunca antes habían respirado el olor de la muerte, y ahora lo percibían con total nitidez, como si se tratara de una sombra que creciera ante sus ojos asustados y les observara desde el cielo.

De entre los restos quemados de unos matorrales salió un niño con el rostro manchado de ceniza y sudor.

Aranmanoth y Windumanoth desmontaron del caballo y fueron hacia él:

—¿Qué ha sucedido? —preguntó Windumanoth.

El niño la miró con un resto de temor en sus ojos brillantes y respondió:

—El Conde ha pasado por aquí.

Y entonces regresó a la memoria de Aranmanoth aquella noche en que una muchacha, casi una niña, iba a ser quemada viva, y recordó su grito irrumpiendo en la oscuridad, y también la mirada de agradecimiento de la joven cuando él la salvó de la muerte. Aquellas imágenes se mezclaban ahora con las de la pequeña aldea quemada, y Aranmanoth, como hiciera aquella vez en el bosque, se preguntó por qué una y otra vez sin que ninguna respuesta llegara hasta él. Sabía que la respuesta a esa pregunta se escondía en lo más profundo y escondido del corazón humano.

Windumanoth lloraba en silencio. En su llanto no sólo había tristeza; la rabia y la impotencia se deslizaban por sus mejillas hasta caer al suelo y perderse entre las cenizas.

El verano desaparecía del mismo modo que el rojo sol, tan poderoso, se hundía poco a poco en la lejanía. «¿Qué es lo que está ocurriendo?», se preguntaba Aranmanoth. La noche se acercaba lentamente y, por vez primera, se daba cuenta de que la oscuridad podía convertirse en una trampa, en un desconocido enemigo. No había luna en el cielo, ni siquiera las luces de las luciérnagas iluminaban el paisaje. No estaban ya en la noche amiga, cómplice y embriagadora del verano, aquel verano que encendía la tierra bajo sus pies descalzos y que llenaba de voces, de antiguas voces, su corazón. Parecía que su naturaleza mágica, la heredada de su madre, quedaba suspendida y, quizá, escondida en las aguas de aquella cascada en la que había conocido la felicidad. «El corazón es como un lobo hambriento», pensó. Y comprobó cuánta verdad había en las palabras del poeta: su corazón, como el del resto de los humanos, era un depredador.

Las gentes de aquella y de otras aldeas huían atropelladamente de la muerte que había arrasado sus hogares. Eran los mismos hombres y mujeres, ancianos y niños que poco tiempo antes se habían mostrado generosos y alegres, asombrados ante la belleza de las palabras de aquellos dos muchachos que vagaban en busca de un deseo que parecía inalcanzable. Ahora todos huían. Nadie reconocía a nadie; nadie escuchaba a nadie. El terror y la desesperación se percibían con tanta nitidez que parecían ser lo único que existiera sobre la tierra.

Aranmanoth y Windumanoth se sentaron al borde del sendero, en lo alto de la colina. Desde allí veían la aldea humeante al tiempo que se preguntaban cómo era posible que, en tan poco tiempo, el mundo se hubiera vuelto del revés.

Y así pasaron la noche, despiertos y en absoluto silencio.

Al amanecer, cuando descendieron al valle, comprobaron que el aire estaba lleno de partículas negras que se desplazaban lentamente y les rodeaban. Un largo grito, aunque inaudible, se alzaba desde los despojos y las calcinadas piedras que aún permanecían en pie. Aranmanoth escuchó ese grito y en él reconoció a la muerte.

Un anciano se acercaba lentamente al lugar donde ellos se encontraban. Arrastraba tras de sí un carro desvencijado en el que, al parecer, transportaba cuanto había podido salvar del desastre.

—¿Qué es lo que ha ocurrido? ¿Adónde vas? —preguntó Aranmanoth.

El hombre le miró, y en sus ojos Aranmanoth creyó ver la desolación y el horror que acompañan a la naturaleza humana.

—Lo de siempre —dijo con una voz apenas audible—. Lo de siempre.

Y Aranmanoth ya no tuvo nada más que preguntar. De algún modo, las palabras del viejo adquirían en su mente una dimensión nueva, acaso inabarcable, y permanecieron del mismo modo que permanecían las palabras del poeta o el rostro asustado de la muchacha a la que salvó de la hoguera. «Lo de siempre...», dijo para sí Aranmanoth mientras contemplaba la espalda encorvada del anciano que, con dificultad, arrastraba lo poco que parecía quedar de su vida. Acaso algún recuerdo, alguna leve esperanza contenida en enseres domésticos, tan modestos como una silla de anea, un cuenco de madera o un viejísimo libro que nadie en su familia pudo nunca leer, ni comprender de qué modo había llegado hasta sus manos. «La parte humana de mi naturaleza es tan hermosa como horrible», se dijo. Y Aranmanoth cerró los ojos porque no quería ver la espalda del anciano, los huesos como alones que se adivinaban bajo sus harapos, ni el cabello ralo, blanco y suave como el de un niño, que aún brillaba y se agitaba temblorosamente en su precipitada huida. Y entonces pensó que algo había en los humanos que no se dejaba abatir, ni siquiera en los momentos más difíciles.

Aranmanoth volvió sus ojos hacia Windumanoth y la vio tan frágil y tan menuda, con su rostro blanco enmarcado por los cabellos negros como racimos, que su corazón pareció vacilar. Los grandes ojos de la muchacha estaban inundados, como si hubiera estado lloviendo en su interior durante días y noches interminables.

—No llores —murmuró él acercando sus labios a los de ella. Pero también los labios de Windumanoth estaban cubiertos de lágrimas.

—Lloro porque nos han arrebatado nuestro verano, el Mes de las Espigas —dijo ella. Y no había amargura en su voz, ni siquiera tristeza. Era como un eco, como un lejano resplandor de un sentimiento que se alejaba hasta convertirse en un recuerdo.

—Yo soy Aranmanoth, Mes de las Espigas —dijo él tan firmemente que sus palabras parecían borrar cuantas se hubieran pronunciado antes, o se pronunciarían después.

No sabía de dónde ni por qué misteriosa razón llegaban hasta él tales pensamientos. Lo cierto es que en su interior se abría un gran asombro que por momentos le encolerizaba y, a la vez, le llenaba de júbilo. Sin embargo, el aire traía el olor de la muerte, de la aldea calcinada, del temblor del anciano que arrastraba los míseros despojos de toda una vida en la que acaso conoció la felicidad. Entonces Aranmanoth dijo:

—Soy ignorante. No comprendo cuanto sucede a nuestro alrededor. Desconozco el oscuro origen de todo este sufrimiento, pero, Windumanoth, me hicieron tu guardián, y no quiero verte llorar.

Ella le rodeó el cuello con los brazos y dijo:

—No es de mis lágrimas de quien tienes que guardarme —y añadió—: quizá no te hayas dado cuenta, pero también he llorado de alegría entre tus brazos.

El cielo que, hasta aquel día, aparecía terso y azul se había estremecido por la invasión de aves carroñeras que arrastraban su sombra allí por donde pasaban.

Entonces fue cuando regresó a la memoria de Aranmanoth el nombre y la figura de Orso.

—Windumanoth, debemos regresar a Lines —dijo—. Orso, mi padre, está allí, y únicamente él puede comprendernos, puesto que nos ama a los dos.

—Es cierto —dijo ella—. Orso es el único que verdaderamente nos ama a los dos.

Y emprendieron el viaje de retorno.

Se unieron a todos aquellos que huían de la desolación, de la ruina de sus hogares y de la pérdida de sus seres queridos. Nunca antes pudieron pensar que fue-

ran tantos los que huían, ni que sus pérdidas y su deses-
peranza fueran tan grandes y numerosas. Tampoco sabían lo que estaba ocurriendo en las tierras de Lines, ni
en el corazón de Orso. Cuando ellos oían hablar de la
crueldad de las tropas del Conde, no alcanzaban a adivinar, ni siquiera a imaginar, que en esas tropas podría
encontrarse el Señor de Lines. Para Aranmanoth y Windumanoth, Orso era cuanto creían bueno, puesto que
era, en suma, cuanto tenían.

Poco a poco fueron conociendo sentimientos y heri-
das que, hasta aquel momento, habían ignorado. El
mundo no se reducía a Lines, ni a aquella casa en la que
habían vivido, ni al huerto de Windumanoth, ni a las
hojas de los árboles que dibujaban palabras con sus
sombras. Ni siquiera el muchacho de los ojos negros,
aquel que cambiaba de nombre según fuera el lugar en
el que se encontrara, podría haberles enseñado la com-
plicada red de sentimientos en la que viven los humanos. Así fue como, lentamente, iban sabiéndose cada
vez más solos y, al mismo tiempo, parte de aquella larga
y triste riada de gentes que huían sin saber a dónde diri-
girse.

Únicamente les quedaba su caballo, aquel sufrido
animal que les transportara allí donde su deseo o sus
sueños les llevaran. «Orso nos espera», pensaban. Pero
viajaban en silencio, como lo hacían todos los demás, siguiendo una ruta inexistente que se iba dibujando a
cada paso.

Cuando llegaba la noche buscaban algún paraje propicio en el que descansar. Y con asombro y alivio com-

probaban que, a pesar de la aniquilación que habían sufrido aquellas gentes, asomaba algo que, de alguna manera, recordaba a la alegría o, al menos, a la sonrisa de la vida. Pudieron sentirse aceptados por todas aquellas personas sin hogar ni lugar al que acudir, como si ellos también hubiesen sido desposeídos o maltratados. «Lo de siempre», había dicho aquel anciano, y Aranmanoth pensó que esas palabras resumían perfectamente la ininterrumpida, periódica e inevitable expulsión que algunos —y quizá ellos también— sufren a lo largo de sus vidas.

Todos aquellos hombres y mujeres se sentían unidos por su destino incierto. Y esa unión se percibía en el aire que respiraban. Descansaban alrededor de una pequeña hoguera y se miraban los unos a los otros como sólo pueden hacerlo aquellos que comparten un sentimiento, o incluso un sueño. La huida, el temor y la misma muerte enlazaban a aquellas personas que se comprendían e intentaban ayudarse. La amistad hacía que aparecieran sonrisas en aquellos rostros cansados y que se escucharan voces, incluso algunas canciones, en las que aún quedaban rastros de alegría. Se podía respirar un nuevo olor que nada tenía que ver con el de la muerte o la miseria, y ese olor hacía que aquellas noches resultaran cálidas y hermosas, a pesar de la devastación y el dolor causados por los soldados del Conde.

Las altas estrellas y el cada vez más apagado canto de los grillos señalaban que el verano se alejaba.

Durante aquellas noches, cuando de las hogueras tan sólo quedaban sus últimas brasas, Aranmanoth y Windumanoth se abrazaban sobre la hierba y respiraban el dulce aroma de la oscuridad cuando ésta deja de ser enemiga y se transforma en un manto que envuelve cuanto hay a su alcance.

Y se amaban.

Capítulo XII

Pero no había nadie que amara en Lines desde el día en que ellos lo abandonaran.

El viejo mayordomo de los ojos de escarcha oteaba incansablemente el horizonte. Al día siguiente de su partida envió gente en busca de Aranmanoth y de la esposa del Señor de Lines, y pasaba los días enteros, y sus noches, esperando alguna señal de quienes salieron tras ellos.

Y Orso volvió una noche en la que la oscuridad no se atrevía a adueñarse completamente de cuanto quedaba bajo ella. Fue una noche extraña; el cielo parecía indeciso y tembloroso, y Orso avanzaba con su pequeña tropa de regreso al hogar.

El Señor de Lines había ayudado a incendiar aldeas, a destruir cuanto encontraba a su paso obedeciendo las órdenes del Conde. Pero ahora, de regreso a Lines, algo pesaba en su corazón, y era algo que parecía atenazarle como si se tratara de una inconfesable traición. Orso se había educado y preparado para ser un caballero y, desde niño, sabía que la traición suponía una mancha imborrable, imposible de limpiar.

Y llegó a Lines aquella noche extraña e indecisa, y supo inmediatamente, en boca del hombre de los ojos de escarcha, que nada bueno le esperaba. Orso quería estar solo; pidió reposo y silencio y se sentó junto al fuego en el viejo sillón que, tiempo atrás, fuera de su padre. En aquel momento supo que toda su vida no era más que un gran deseo de estar solo frente al calor y la misteriosa luz del fuego.

—No me cuentes nada porque nada quiero oír —dijo, sin mirarle, al mayordomo—. Mañana, o cuando el momento lo indique, te escucharé.

Y así quedó Orso a solas frente al fuego, y cerró los ojos a cuanto le rodeaba. Pero supo, a pesar de su soledad y su silencio, que el recuerdo de Aranmanoth le acompañaba. Y recordó el momento en el que el niño apareció en la puerta de la casa acompañado por aquel anciano que le llevaba de la mano y que después se perdió en la oscuridad, y la emoción que le invadió cuando su hijo le habló por vez primera: «Soy Aranmanoth, Mes de las Espigas». Orso quería olvidar, pero su propia soledad se lo impedía.

La noche se abría como un abanico oscuro que puede cerrarse o abrirse. Pero fueron sus ojos quienes se abrieron, se acercó lentamente a una de las ventanas de sus aposentos y desde allí le pareció escuchar el rumor de la hierba. Entonces su corazón pareció liberarse y es-

capar de una prisión que lo mantenía cautivo. Y Orso
sintió ganas de llorar, y no por las atrocidades cometi-
das, ni por el horror causado en todas aquellas gentes
de las que él no tenía noticia. Eran la noche y su inmensa soledad quienes le provocaban esos incontenibles
deseos de llorar. Era su ignorancia, y el miedo a sí
mismo. Eran las estrellas que parecían observarle desde
el firmamento con unos ojos que él no alcanzaba a distinguir.

Y así pasó la velada, hasta que el cansancio le venció
y se recostó, sin despojarse de sus ropas, sobre el lecho.

Volvió el sol, rojo, casi iracundo, feroz, y se apoderó
nuevamente de la tierra.

El hombre de los ojos de escarcha llamó suavemente
a la puerta de los aposentos de Orso y éste le hizo pasar.
Escuchó sus palabras en absoluto silencio, sin que su expresión variara en ningún momento. Así fue como Orso
conoció la huida de Aranmanoth y Windumanoth, y escuchó la palabra «traición» en la voz del mayordomo
que hablaba entre susurros, como si temiera oírse a sí
mismo. Orso fue hacia la ventana y desde allí contempló el resplandor del sol, cada vez más intenso, y los
bosques inmensos que durante tanto tiempo le habían
acompañado y, quizá, protegido.

Y entonces supo que aquello que en su entorno se
consideraba una traición para él no lo era. Aquella mañana, Orso descubrió que la verdadera traición que él
temía era secreta e inconfesable: la traición a sí mismo.

Siguió escuchando al hombre de los ojos de escarcha mientras el sol, impío y poderoso, se adueñaba completamente del cielo. Ya no quedaban los susurros de la noche, ni las imágenes que le conmovieron frente al fuego, cuando él, solo y sentado en su viejo sillón, repasó los momentos más importantes de su vida.

—Señor, como bien comprenderéis, no se puede tolerar un ultraje semejante —dijo el mayordomo.

Orso le miró fijamente y, sin que ninguna palabra brotara de sus labios, le ordenó salir de su estancia.

Y el Señor de Lines salió de la casa, montó en su caballo y, al galope, regresó al bosque en busca del manantial. Cuando nuevamente se halló ante él, Orso se sentó en la orilla y contempló, y escuchó, el continuo fluir del agua. «¿Por qué?», se preguntaba. «¿Por qué el amor de dos niños despierta tanto odio, o rencor, en los seres humanos?», se dijo. Y de pronto se vio a sí mismo muchos años atrás, cuando no era más que un niño solitario que temblaba ante las voces que susurraban las mujeres frente al fuego. Pero también recordó el tiempo que pasó en el castillo del Conde, su duro aprendizaje, los castigos y las leyes que debía respetar y que, sin embargo, nunca llegó a comprender. El látigo de su padre parecía restallar nuevamente en su espalda. Una gran confusión se apoderó de su mente hasta que la ira le invadió.

«¿Por qué razón toda su vida había sido una sucesión de latigazos en su joven espalda?», se preguntaba.

«¿Por qué únicamente aquella vez, en el manantial pudo sentirse libre y en paz?» El ahogo crecía dentro de su pecho. Orso recordaba momentos hermosos y llenos de placer al lado de otros muchachos allá en el castillo del Conde y, sin embargo, se daba cuenta de que todos aquellos instantes estaban prohibidos, espiados, amenazados. Y entonces pensó, mientras contemplaba el suave fluir del agua, que la felicidad es algo que no se tolera, como si hubiese alguien que quisiera erradicarla de la naturaleza de los humanos.

Y llegó la orden del Conde. Éste quería que los dos fugitivos que, en su opinión, oscurecían y manchaban las nobles acciones, las gestas guerreras y la lealtad de Orso, fuesen perseguidos y castigados.

Aranmanoth y Windumanoth iban en dirección contraria a la de sus perseguidores. Los dos muchachos se dirigían hacia Lines, en busca de Orso. Deseaban contarle todo lo ocurrido desde el día de su partida, su infatigable búsqueda del Sur, los encuentros con las dos hermanas de Windumanoth, la generosidad de las gentes que hallaron en su camino y, sobre todo, la pureza del sentimiento que había nacido en ellos.

Las noches empezaban a ser cada vez más largas y frías. De aquí para allá iban y venían seres que huían, o soñaban, o se escondían. Aranmanoth y Windumanoth regresaban a Lines, conocían el destino de sus pasos, pero ignoraban por completo que una cruel amenaza se cernía sobre sus cabezas.

Su caballo se había convertido en un cansado animal que a duras penas les podía transportar.

—Lo que debéis hacer con ese caballo es matarlo —les dijo uno de los hombres que encontraron por el camino.

—¿Por qué? —preguntó Aranmanoth asustado.

—Por que ya no sirve para nada... Y así podréis ahorrarle sufrimientos.

Aranmanoth se acercó a su viejo amigo, acarició su belfo, y por un momento pensó que existía alguna ley antigua y desconocida para él que prohibía y negaba la palabra amor. Y Aranmanoth se estremeció, como si de pronto, se abriera ante él el más feroz invierno que se pudiera imaginar.

—¿Por qué tiemblas? —le preguntó Windumanoth abrazándose a él.

—Tengo miedo —dijo Aranmanoth.

Tomaron de las bridas al viejo caballo y, sin subirse más a su lomo, lo llevaron con ellos.

Formaban parte de una inmensa riada de gentes. La mayoría huía de la devastación que habían sufrido sus hogares, pero otros había también que, como ellos, regresaban a sus aldeas. Sin embargo, tan sólo encontraban destrucción y cenizas aún ardientes en los lugares que, poco tiempo antes, fueron sus chozas, sus casas o sus refugios. El cielo seguía cubierto por una gran nube de partículas negras, y el olor nauseabundo a carne y aldeas quemadas se hacía en ocasiones insoportable.

Pero la esperanza no desaparecía. Los que llegaban a sus antiguos hogares, ahora convertidos en despojos, lloraban y maldecían, se arrodillaban junto a algún ár-

bol que aún se mantenía en pie y miraban al cielo buscando una respuesta que nunca llegaba. Pero al cabo de
un tiempo de desesperación y de enorme tristeza, la ilusión regresaba y se disponían a levantar, piedra a piedra, una nueva vida.

Aranmanoth y Windumanoth se despidieron de
todos aquellos hombres y mujeres que durante tanto
tiempo habían sido sus amigos, y prosiguieron su camino hacia el señorío de Lines.

—Tened cuidado —les dijeron mientras se alejaban—. Niños, tened mucho cuidado.

Y parecía que en sus ojos hubiera una pena antici-
pada, un presentimiento que se dibujaba en aquellas palabras.

Así avanzaban en su regreso. Y durante todos aquellos días fueron reconociendo paisajes a la vez que hallaban el horror de las batallas y de las derrotas: las aldeas quemadas, los campos calcinados y las agoreras
aves negras atravesando atardeceres que hubieran sido
hermosos de no verse rodeados de tanta desolación.

Hasta que un día sintieron que el cielo rosado se extendía como un manto bienhechor sobre sus cabezas. El
color y el olor de la paz se adivinaban en el horizonte. A
pesar del cansancio vieron como la ira y la violencia
iban quedando atrás. Encontraron alquerías con pare-
des blancas y limpias, sin señales de destrucción, los
campos de trigo observaban su lento caminar y parecían recibirles esperanzados. Y vislumbraron en el cielo
pájaros que nada tenían que ver con los que anunciaban
la muerte. Eran las aves que les acompañaron en sus

primeros días, sencillas y sin gran colorido, como los ruiseñores que cantan, simplemente, para escucharse o hacerse escuchar. Aranmanoth y Windumanoth recordaron al muchacho de los ojos negros, aquel poeta que tañía las cuerdas de su extraño instrumento y entonaba dulces, aunque tristes, melodías.

—¿Adónde habrá ido? —se preguntaban.

Las riacheras negras volvían a formar parte de sus vidas. Las veían bajar, como flechas blanquinegras, hacia el río en busca de comida. Contemplaban su vuelo y la sonrisa aparecía en sus rostros cansados.

Una mañana, cuando apenas había asomado el sol tras las colinas, Aranmanoth escuchó el canto de un mirlo. Se habían dormido bajo un gran moral, y el muchacho se incorporó y vio cómo el cansado caballo les abandonaba. Despacio, pero inexorablemente, se alejaba de ellos en dirección a los bosques que de nuevo les rodeaban, cada vez más espesos.

Sin detenerle, Aranmanoth contempló el lento y fatigado caminar de su viejo amigo que, poco a poco, se iba haciendo más pequeño ante su mirada. El caballo se internó en la espesura del bosque para no regresar jamás. La alta hierba del prado que se extendía frente a los bosques iba doblándose, como si un gran pesar la agitase. «La hierba llora», pensó Aranmanoth. «Pero no sólo llora por nuestra separación, la hierba está llorando por algo aún más triste...», se dijo.

En aquel momento, Windumanoth se desperezó y abrió los ojos. El sol ya se había apoderado completamente del cielo, y deslumbrada, protegió su rostro con las manos. Pero sonrió cuando vio a Aranmanoth junto a ella.

Y fue entonces cuando se apercibieron de que, nuevamente, la hierba se doblaba bajo las pisadas de una criatura que se dirigía hacia ellos.

Unos ladridos que eran como los estallidos de un gozo largamente esperado llenaron el aire de aquella mañana. El joven cachorro que dejaron en Lines se había convertido en un lobo adulto y hermoso.

Se abalanzó sobre ellos y, lamiéndoles la cara y las manos, daba saltos de alegría a su alrededor.

—¡Es Aranwin! —gritó Windumanoth.

Y los dos se dieron cuenta de que, verdaderamente, regresaban al lugar que su memoria retenía como bello, lleno de esperanza y alejado de la crueldad que habían conocido en su búsqueda imposible del Sur. Se sentaron entre las altas hierbas y por sus mentes tan sólo se cruzaban las palabras alegría y reencuentro.

Capítulo XIII

El Conde, en ocasiones, se alojaba en la casa del Señor de Lines. Esto, sobre todo, ocurría en épocas de caza, puesto que aquellas tierras, y en concreto sus bosques, eran ricos en aquellas especies de animales que más atraían a los cazadores.

Sin embargo, esta vez, el Conde anunció su visita en época totalmente inadecuada para cacerías. Orso comprendió de inmediato que la que ahora se preparaba era la de dos jóvenes criminales: su hijo y su esposa.

Tiempo atrás, el Conde había sido un joven apuesto, quizá hermoso en su misma rudeza, pero en la actualidad era un hombre envejecido, más que por los años, por su propio carácter. Lo cierto es que últimamente había engordado demasiado, sobre todo de cintura para abajo, lo que le daba cierto parecido a una enorme pera, ni muy madura, ni muy verde. Su cabello, otrora rojo y rizado, se había convertido en una rala corona en torno a una calva salpicada de manchas rosadas y marrones, como su misma faz. Ocultaba su calvicie con grandes sombreros de piel, pero no podía esconder el amarillento y manchado rostro donde cada vez parecían alejarse más uno de otro sus ojillos redondos y rojizos, como suelen ser los de las gallinas. Y sin embargo, conservaba su empaque y su altivez, y seguía provocando respeto en cuantos le miraban.

—Orso querido —dijo mientras descabalgaba, deteniendo con un gesto el inicio de reverencia con que Orso se disponía a recibirle.

Estaban así, frente a frente en el patio de armas, los dos escondiendo sus sentimientos y sonriéndose.

El Conde sentía una sincera predilección por Orso, quién sabe por qué razón, pues Orso tan sólo se había distinguido hasta entonces por su nobleza y lealtad más que por sus dotes guerreras. Pero no había duda de que era un vasallo cómodo, servicial y bastante gentil en su trato.

—Orso querido —repitió, mostrando en su sonrisa, no carente de cierto encanto, todos los dientes que le quedaban, fuertes y amarillentos. Y posando un dedo que parecía de hierro sobre el omóplato derecho de Orso, el Conde le empujó y le marcó el camino que había trazado para él.

Un estremecimiento imposible de sofocar se adueñó del Señor de Lines quien, en aquel instante, revivió los latigazos en su espalda. Mientras ascendían por las escaleras que conducían a su cámara, Orso palpó suavemente sus mejillas y sintió la rugosa cicatriz que le cruzaba el rostro. «¿Por qué?, ¿para qué?», se preguntó. Y otro largo y doloroso interrogante se abría paso en su mente: «Dios mío, ¿qué he hecho con mi juventud?, ¿a qué o a quién la he entregado?». Éstas eran preguntas a las que Orso no podía responder, y sintió, de pronto, que lo único que en su memoria aparecía con una cierta claridad y belleza era el resplandor de aquella cascada que, como un destello o una sospecha, se revelaba como el sentido de su vida.

Se instalaron en la cámara de Orso, uno frente al otro, sentados en los no demasiado cómodos sillones que la adornaban.

El sol era ya tan rey, tan poderoso y suntuoso sobre la tierra, que nadie se hubiese atrevido a alzar su mirada hacia él. Y entonces retornó a Orso la imagen deslumbrante de los trigos esperando la siega, el ardor de las ortigas y el rumor agudo de la piedra que afila las hoces.

Orso ordenó que les trajeran bebidas frías y ambos llenaron sus copas de un agua cristalina que brillaba entre los dos. Y entonces dijo el Conde:

—Orso, sabes muy bien por qué estoy aquí. He de decirte algo muy importante que tú desconoces. Tu esposa y Aranmanoth deben ser castigados porque han manchado tu honor. Pero hay un problema: sabes que mis relaciones con la abadesa del monasterio de las Damas Grises, la hermana de tu esposa, son muy tensas. Nuestras disputas fueron las que motivaron mi decisión de destruir todas aquellas tierras. El hecho, querido Orso, es que tu esposa debe morir sin escándalo puesto que, de otro modo, nuestros intereses podrían verse perjudicados. Su desaparición jamás deberá relacionarse con tu hijo Aranmanoth —y aquí el Conde se interrumpió y mirando a Orso fijamente le preguntó—: Porque es tu hijo, ¿verdad?

—Lo es —dijo entonces Orso. Y se extrañó de la calma que surgía de su voz cuando todo su ser ardía como el mismo sol que parecía observarles desde el cielo.

—Sea como sea —continuó el Conde—, el muchacho será decapitado para limpiar tu honor. Pero ella ha de morir en secreto. Así conseguiremos que Aranmanoth se presente ante todos como el causante de una doble ofensa: te arrebató a tu esposa y la asesinó para no dejar huellas de su delito.

Entonces a Orso le pareció que las palabras del Conde desaparecían en sus oídos. Él sólo veía su boca, su sonrisa de dientes espaciados y amarillos, y la curvatura de sus labios modulando sonidos que él no escuchaba.

Sólo cuando el Conde dijo que había enviado a sus gentes en busca de los dos fugitivos pero que, al parecer, no habían logrado encontrarlos, Orso pareció volver en sí.

El Conde decidió permanecer en la casa. Según dijo, era a él a quien le correspondía juzgar y condenar a Aranmanoth que, tarde o temprano, por propia voluntad o a la fuerza, regresaría a la mansión del Señor de Lines.

Pero transcurrieron días y semanas sin que los dos jóvenes aparecieran ni llegaran noticias anunciando que, al fin, habían sido hallados.

Hasta que una mañana, el mayordomo de los ojos de escarcha, quien desde la más tierna infancia de Orso contemplaba impasible los latigazos con que su padre le aleccionaba, entró en la cámara y dijo:

—Yo sé quién puede hallarlos. El joven lobo al que bautizaron con el nombre de Aranwin dará con ellos.

Nadie sospechaba que Aranwin ya los había encontrado y que los dos fugitivos estaban cerca de las tierras de Lines.

Capítulo XIV

El verano llegaba a su fin y, a pesar de que los días eran todavía calurosos, Aranmanoth y Windumanoth pasaban las noches en aquellos lugares que pudieran protegerles del frescor que anuncia el otoño. Dormían abrazados sin necesidad de mantos ni pieles con que cubrir sus cuerpos. Se tenían el uno al otro, y eso les bastaba para entrar en calor.

—Despierta, Aranmanoth, ya ha amanecido —dijo Windumanoth una mañana—. Mira a tu alrededor y contempla tus bosques de hayas. Ya casi hemos llegado a nuestra casa, y pronto veremos a Orso y podremos contarle todo lo que nos ha sucedido.

Windumanoth se sentía más alegre que nunca. Una hermosa sonrisa aparecía en su rostro mientras acariciaba los hombros de Aranmanoth para despertarle. Éste se incorporó lentamente y abrió los ojos. La felicidad le inundó cuando reconoció aquel paisaje y el olor inconfundible del hayedo. Entonces se abrazaron y rodaron sobre la hierba de la pradera. El agua de un arroyo cercano crecía en sus oídos hasta que fue lo único que pudieron escuchar, como si fuera una cascada.

Ella se puso en pie y, corriendo, fue hacia el riachuelo. Aranmanoth estaba sentado en la hierba y desde allí contemplaba cómo su compañera se adentraba en el agua. Vestía solamente una camisa blanca, casi transparente, y la silueta de su cuerpo se iluminó, con el resplandor del agua. Entonces Windumanoth extendió sus brazos como alas y le miró.

De pronto, algo oscureció el cielo. Aranmanoth se levantó de un salto. La hierba de la pradera se abatió ante su atemorizada mirada. Entonces Windumanoth sonrió por última vez. La sonrisa de aquella niña se quebró y Aranmanoth la vio caer suavemente sobre el agua.

Una flecha le había atravesado el corazón. Las riacheras gritaban y descendían velozmente hasta el río. El rumor del arroyo continuaba como si nada hubiese sucedido, como si nada ni nadie hubiese acabado con lo único que colmaba el corazón de Aranmanoth.

Escuchaba los gritos de la hierba de la pradera, y los que nacían de lo más profundo del bosque, pero él permanecía en silencio e inmóvil. Y supo que, definitivamente, el Mes de las Espigas había terminado. El sol ya no era el que él conocía, ni tampoco lo sería la noche, con sus luciérnagas y la algarabía de los grillos, ni mucho menos la alegría volvería a ser la misma.

Cuando llegaron los hombres que, desde hacía días les buscaban por todas partes, encontraron a Aranmanoth quieto y con la mirada aparentemente perdida en el río. No opuso ninguna resistencia, ni preguntó, ni siquiera miró los rostros de aquellos que lo apresaban y lo conducían hacia la muerte.

Al amanecer, Aranmanoth fue decapitado en un claro del bosque. El sol se levantaba cuando él lo vio por última vez.

Pero ocurrió algo insólito: su dorada cabeza de largos cabellos como espigas, una vez separada del cuerpo, pareció cobrar vida y rodó hasta llegar al manantial, de donde no pudo ser recuperada, ni siquiera vista, durante años. Parecía que las criaturas del bosque la reclamaban.

Ninguno de los que presenciaron aquella muerte pudo explicarse lo que sucedió.

Orso lloró durante toda la noche que precedió a la muerte de su hijo. Lloró como nunca antes lo había hecho. La impotencia, la rabia y la desolación se confundían en su pobre alma de hombre arrepentido. Nunca más volverían a escapar lágrimas de sus tristes ojos. Cuando desde su lecho oyó el sonido, como un trueno, del hacha sobre el cuello de Aranmanoth comprendió y sintió que su cuerpo se partía con él hasta convertirse en una simple y oscura sombra de sí mismo.

Entonces, guiado por un presentimiento, fue en busca de su loriga y, cuando la tuvo entre las manos, descubrió que ya no era de oro: cada una de sus láminas, antes tan brillantes que casi cegaban a quienes las miraban, aparecían ahora herrumbrosas y casi se partían entre sus dedos, manchándole de polvo rojizo y áspero. Reprimiendo un grito de horror, la arrojó lejos de sí, y al caer al suelo se deshizo en una mancha del color de la sangre seca, que ya nadie pudo lavar, ni conseguir que desapareciera.

Tiempo después se desprendió de todos sus bienes y los repartió entre aquellos hombres y mujeres que le habían servido, excepto el hombre de los ojos de escarcha quien, a partir de aquel terrible suceso, se convirtió en uno de los más allegados consejeros del Conde.

Orso se retiró a una ermita que, según cuentan, levantó con sus propias manos. Y allí pasó el resto de sus días, solo y en absoluto silencio, sin nada a su alrededor que le recordara la dolorosa y cruel existencia que había llevado. Tan sólo algún lejano rumor de agua llegaba, en ocasiones, hasta su mente. Entonces se cubría los oídos con las manos y cerraba los ojos con tanta fuerza que parecía desear hundirlos en su rostro.

Y un día regresó a las tierras de Lines el muchacho de los ojos negros, cantando y narrando la historia de Aranmanoth, «el niño sagrado que había redimido a su padre de sus pecados», decía. Las gentes le escuchaban atentas, pero lo cierto es que nadie creyó, hasta mucho tiempo después, en semejante historia.

Pasaron los años, muchos años, y otro joven poeta de ojos negros llegó hasta aquel lugar. Y esta vez, los que escucharon la historia de Aranmanoth se quedaron cautivados y atónitos ante las palabras del joven. «¿Será cierto lo que este hombre cuenta?», se pregunta-

ban los unos a los otros. Y subían a la ermita donde
quizá Orso aún mantenía sus oídos cubiertos con las
manos. O quizá había desaparecido para siempre. Después, iban en busca del Manantial y buscaban en el
fondo del agua la cabeza de Aranmanoth, sus cabellos
largos como espigas y aquel collar de amapolas que, según se decía, era la sangre que brotó de su garganta y el
origen de las que, verano tras verano, aparecían en los
trigales.

Y fue creciendo la canción, y las romerías que sur-
gieron tras ella. Los jóvenes se acercaban al Manantial
durante el Mes de las Espigas y creían ver la cabeza ru-
bia de Aranmanoth bajo las aguas. Pero no era verdad.
Casi nadie pudo verla; tan sólo aquellos que habían
amado, o amaban, o estaban deseosos de amar alguna
vez en su vida.

Aranmanoth se convirtió con los años en una leyenda. Pero lo cierto es que alguna vez, un muchacho, o
una muchacha, lo distingue entre las aguas. Son sólo
unos pocos, aquellos que aún viven en el ardiente, cega-
dor y breve —demasiado breve— verano de la vida.